今こそ知るべき
ガンの真相と終焉

ガンに罹る3つのリスク因子が判明

ガン専門医・統合医療医師
小林常雄

ガン患者を減少させるためには

ガンの第一次予防を進める必要があります！

しかし、日本では
ガンの対策は「早期発見・早期治療」と
言われながら40年以上も

ガンの第二次予防しか行われていません

ガンの第二次予防とは？

厚労省がすすめるガン検診を行い、
ガンが見つかったら外科療法、放射線療法、化学療法（制ガン剤）
などの標準治療による対応

ガン死の患者を減らすことは全くできていません

今こそガンに対する認識を改める必要があります

ガンは確実に予知・予防できる！
「TMCA検診」を完成し
ガンに罹る「3つのリスク因子」を
発見することができました。
本書には答えが書いてあります。

はじめに

私は2・6万人余りに、ガンの予知・予防と再発予防の検査と治療を実行して来ました。

厚労省がすすめている早期発見・早期手術をという「ガンの第二次予防法」は、50年余り実施して、全く効果が出ていないことは明瞭です。にもかかわらず、この愚かしい方策を多くの人が盲信していることが問題です。

早期発見・早期手術をすれば、ガンは助かると言いながら、ガンに罹患する人が増加し、ガンで死ぬ人が増加し続けている現実を約50年間も放置してきた現状はおかしくないのでしょうか?

古いガン医療の問題点をきちんと説明しないと、犠牲者は増加するばかりです。まさに、ガンに関する認識の天動説を皆が信じさせられている状況なのです。

一般には**「ガンは予知・予防できない」「ガンは悪性腫瘍である」という固定概念**にとらわれているため、現状の間違いが気にならなくなっているだけなのです。

私の開発した**腫瘍マーカー検診（TMCA検査）**を活用すれば、ガンを確実に予知・

予防できる上に、体内のガンの状況を正確に把握できます。原発巣不明ガンと言われているガンでも、その原発巣を発見することができます。

また、生物学的検査など、農産物に混入する農薬や食品に混入した発ガン物質などを早期に発見できます。

２０１８年に**ガンが発症するための3つのリスク因子**も発見しました。**ビタミンA、ビタミンD、サイクリックAMP**の３つの因子が不足するとガンを発症する傾向にあります。

世の中の間違った常識から目を覚ましてください。

現実に、**ガンの予知予防は可能**です。

そして、ガン細胞は殺したり切除したりするのではなく、**正常細胞に戻すことができる**のだということを理解してください。

「ガン＝悪性腫瘍」であるという間違った認識に、日本も支配され続けています。

「悪性」という魔性の言葉に捕らわれ続けています。

自分の身をしっかりと自分で守れるようになっていただくためにも、正しいガンの知識を知っていただきたいと心から思います。

目次

はじめに……4

第1章　なぜ日本でガンが減らないのか？　答えは明確です！

◆ガンが「悪性腫瘍」であるという認識は天動説……12
◆免疫を無視した治療法では、再発が多くなるのを避けられない……16
◆画像診断中心のガン検診では手遅れになる！……20
◆ガンは「ミトコンドリアの呼吸代謝異常」が原因……22
◆ガン細胞を正常細胞に戻すことができる……24
◆ガンの発生は、遺伝子が原因ではない！……26
◆遺伝子とガンが関係ないことは証明されている……30
◆ミトコンドリアは生物にとって生命活動のリソース……34
◆大切なのは、ガンを治すことではなく「減らす」こと！……36

目次

◆夢のガン治療薬は存在していない……38
◆古い方法にしがみつかず、今こそ正しい治療に！……40
◆ガン化のリスク因子が判明した！……42
◆なぜ、ビタミンAとビタミンDが重要なのか？……44
◆サイクリックAMPの投与で、ガン細胞が5時間で正常細胞に……48
◆サイクリックAMPを含んだ漢方薬が、ガンを抑制……50
◆ミトコンドリアの復活には熱が大きく関与している……54
◆免疫力を下げないようにする必要がある！……60
◆ガンをはじめ、病気になるような食生活習慣をやめる……66
◆ガンは「食生活習慣病」であるという証明……70
◆ガンの遺伝子異常説について改めて考える……74
◆ガン細胞が正常に戻るプロセスでミトコンドリアが復活……78
◆動物性高たんぱくの食事は、ガンの促進要因に！……80
◆帯状疱疹ウイルスとガンの発症には密接な関係がある……86
◆現代医療の「常識」にだまされてはいけない……88

第2章　ＴＭＣＡ検査は、ガンの予知予防に最適な検査法

◆ガンは予知・予防できる。正しい手順で適切な対応を！……94
◆ガンの正確な判断は、厚労省の認める腫瘍マーカーでは不可能……98
◆ＴＭＣＡ検査（腫瘍マーカー総合診断法）で確実にガンを発見……102
◆複合腫瘍マーカーによる生物・生化学的検査だから、
ガンができる前からその経過と理由まで発見できる……104
◆ガンをいかに早期に発見できるか……108
◆ＴＭＣＡ検査は、きちんとした実験で実証されている……110
◆ガン危険度が高いと診断された場合の介入方法……115
◆（実例紹介）これが現在の医療界のガン治療の現実！……120
◆画像診断の限界に気づき、ＴＭＣＡ検査を標準にするべき……134

第3章　ガンを減らす為に意識しなければならないこと

◆われわれは、自分からガンになる食生活習慣を行っている……142
◆電子レンジの使用は最小限に……146
◆食生活を変えない限り、ガンは減らない……148
◆未来のためにガンに対する認識を変えてなくてはならない……160

第1章 なぜ日本でガンが減らないのか？ 答えは明確です！

◆ガンが「悪性腫瘍」であるという認識は天動説

一般には、長い期間「**ガン＝悪性腫瘍**」であるという**間違った情報**を植え付けられてきました。

しかし、それは大きな間違いであることを、認識しなくてはなりません。

断言して言えます。**ガンを悪性腫瘍と言うのは天動説**です。

認識の仕方が間違っています。

このガンに対する間違った認識は、１５０年前、ドイツの政治家であり細胞病理学者であった**Rudolf Virchow（ルドルフ・ウイルヒョウ）の『突然変異説による悪性腫瘍説』**から始まりました。この免疫力、自然治癒力の存在を全く無視した突然変異説に端を発しているのです。

そして、病理的診断学、画像診断学が台頭してきたことで、逆にそれが根付いてしまいました。

スタートの認識が間違っているのに、それに気づかず進んでしまったのが現在のガン医療の実態なのです。

遺伝子の突然変異が原因となる悪性腫瘍という発想から、腫瘍塊を画像診断で発見したのちに病理診断によりガンかどうかを判断し、外科手術か制ガン剤による治療を行うという流れが、主流を占めるようになってしまいました。

しかし、このガンの発見方法と治療の対処法が間違った考え方だということにほとんどの人が気づいていません。そのために、２人に１人がガンになる時代だということを当たり前のように語っています。

１４０年前にOtto Warburg（オットー・ワールブルク）が、呼吸障害説を唱えて１９３１年にノーベル生理学・医学賞を受賞していますが、１４０年もの間、この重要な視点が医学界で無視され続けてきました。

それを確かめるために、私も所属していたことがあるがんセンターの放射線生物研究室で、１９７１年にガン細胞と正常細胞のサイブリット実験（ミトコンドリアを入れ替える実験）を行いました。その結果、核の遺伝子が「正常細胞になるかガン細胞になるか」という状況変化に関するカギをまったく握っていない、ということがはっきりしました。

その後、２０１１年に発表されたボストン大学のThomas Sayfried（トーマス・サイフリッド）教授の研究内容が『Cancer as a Metabolic Disease』という本として発刊され、世界中の医師たちがその内容を目にすることとなりました。

そして、ガンはミトコンドリア呼吸代謝異常だという認識が、今では世界で主流を占める考えとなっています。

米国でベストセラーになっている『Radical Remission』という本の中で、ワールブルグ博士（60年前にノーベル賞を受賞）と私、小林常雄ＭＤが「ガンは、ミトコンドリアの呼吸代謝異常だ」と述べているのですが、日本語版である『がんが自然に治る生き方』では、私の名前が消されていました。なんらかの不穏な意思が働いているとしか思えません。

毎日、１２００人もの人が死亡しているというのに、ガンが増加し続けるこの状況が、なぜ50年間も放置されているのか？

ガンに罹る人が5人に1人から4人に1人に。そして3人に1人に。最近は、２人に1人と言われてきています。だいたい10年ごとに状況が悪化しています。

この状況を放置している厚労省の現実を皆さんはどう思われますか？

ガンの治療に関してとやかく言う前に、なぜ、すでにわかっている「ガンの予防対策」に力を入れないのか？

そもそも大切なのは、ガンを治すことが大事なのではなく、「がんにかかる患者を減らすこと」が大事なのではないのでしょうか？


ガンができる理由は明確です。

なのに、エスタブリッシュメント（権威があり思想を先導できる発言権の強い人たち）が、ガンの原因不明説を述べてきて、未だに遺伝子説を振りまいている現状です。

ガン患者を減少させるためには、**ガンの第一次予防**を進める必要がありますが、それを厚労省が邪魔しているようなものです。

日本ではガンの第二次予防しかしないのです。

◆免疫を無視した治療法では、再発が多くなるのを避けられない

日本には、ガンに対するきちんとした戦略本部がないことも重大です。

日本の国立がんセンターは、ゲノムセンター、検診センター、病院治療業務と3点にのみ力を入れています。米国のがんセンターと違い、全体を俯瞰する戦略本部はないのです。

国立がんセンターの名誉総長が、「がんセンターは無医村です」と述べているのを聞いたことがあります。

日本人で、ガンが増え続けているのはこれが最大の問題でしょう。

「手術」「放射線」「制ガン剤」という標準治療は、全てガンの大きな原因である免疫低下を無視した治療法です。

ガン細胞は、免疫が低下して生じる細胞と言いながら、免疫を無視して免疫機能を廃絶してしまうような治療を行っています。

しかも、それが標準治療法だなどと言っているのです。

そんな状況では、ガン治療で死亡しているのか、標準治療で死亡しているのか、ガンそのもので死亡しているのか、まったく区別することができません。

手術をすれば、当然ながら臓器を手術するのですから、その程度にはよりますが免疫が下がります。

免疫低下は、制ガン剤治療以上に悪い状況を長引かせます。

放射線治療は、見かけ上は手術ほど負担がないように見えますが、放射線治療法を繰り返すことで確実に免疫は下がり、再発率を上昇させ、第二次ガンを発生させやすくなります。

制ガン剤治療でも、1回目は効いても2回目は効きにくくなり、3回目は全く効かなくなるという結果が出やすいのです。

それは当然です。制ガン剤の専門家が免疫のことを考えて治療をしていないからです。ましてや、制ガン剤の治療効果を画像診断に依存し、3ケ月に1回程度しか確認していないので迅速な判断が難しいのです。

だからといって、制ガン剤が効いた場合でも、最後は手術をするという方向性が出されています。

ガンの治療は免疫ではなく、手術が一番だと盲信しているからです。

制ガン剤が効いたと判断された後で、すぐに制ガン剤治療をやめて、免疫治療に切り替えないことも問題です。制ガン剤治療を漫然としていると、再発を促進することになる可能性があります。

免疫の観点を無視した治療法が行われているのですから、再発ガン死が増加するは必然なのです。

あまり意味のないガンの遺伝子解析や、今頃になって保険を通そうとしている制ガン剤治療のために、内輪理論の繰り返しで時間を費やしている国立がんセンター。

ガン患者を減少させることもせず、がん死も減少させることができない国立がんセンターの歴代総長たちでも高い確率で、ガンに罹っているのが現実だというのに、がんセンターには毎日５０００人もの患者さんが通っているのです。

一体何を期待しているのでしょうか？

冷静に考えれば、その治療が正しいかどうかわかるはずです。

◆画像診断が中心のガン検診では手遅れになる！

「ガンは、早期発見・早期手術が一番なので、早く検診を受けてください」と厚労省は言いますが、ガンは画像診断で判断できる状況になるまで症状のないのが特徴です。それは、言い換えれば、**画像診断に頼るということは、ガンが出てくるのを待っている専守防衛の態度**、ということでもあります。

毎回CTなどを行えば……例えば、**10回ほどCTによる検査を行うと、ガンにかかる率が2倍に上がります。**その点を無視している発想でもあります。

従来の画像診断中心のガン検診では見落としが多く、見落としをするべくして、しているのです。昭和天皇陛下でさえ、3人の医師が検診に当たったにもかかわらず、黄疸が出てきて、初めて膵臓ガンが判明したのが現実です。一般の検診では、救いようがないほど、誤診があることでしょう。

厚労省の指導が逆さま理論なのです。

検査用放射線の被曝でガンになってしまう人は、日本では欧州の7倍です。心臓カテーテル検査などをした人の被曝は、誰も調査をしていませんが、恐らく信じがたい被曝量でしょう。福島原発事故の1000倍以上の被曝です。日本人のCT使用率は、米国人の10倍ですから、日本人のガン死亡率が米国人の2倍以上であることは必然的かもしれません。

悪性腫瘍だと考えるから、画像診断を重視してしまいます。

しかし、ガンが画像診断で発見できる頃には、すでに治療が難しい状態になっていることがほとんどです。だから、手術で切り取る、もしくは身体にも大きな負担のかかる制ガン剤の投与という手法に頼ってしまいます。

「**ガンは悪性腫瘍**」**である**という誤った考えを前提にしたガン検診と標準治療を指針として、現代のガン医療が行われています。

◆ガンは「ミトコンドリアの呼吸代謝異常」が原因

ガンの正体は、**ミトコンドリアの呼吸代謝異常で起こる結果**です。

ガンという病気を、腫瘍塊から新生物として生物学的に把握する方法へ転換するために、Pathological biopsy から Chemical biopsy への転換が必要です。

当然、標準治療から代謝病としての思考転換も必要です。

ガンに対する認識が、あまりにも長い期間、**画像診断と病理診断による天動説**に固執してきた結果、ガンへの罹患とガン死が増加してきたのです。

生化学的解析に基づいた機能診断学を始めないと、ガンを新生物として減少させることはできません。

現代の最新と言われているガン治療の現場では、画像診断が出来るくらいまでがんが大きくなるのを待って「切除手術」「放射線治療」「制ガン剤治療」という手順による治療が行われ続けています。

つまり、**ガン組織が画像診断で認識できる大きさに成長するまで待ってから治療を行うという愚かな対処療法を繰り返している**のです。

その方法・手順では再発や誤診も多く、ガン死は増加し続けて、毎日2・5万人を超えて、年間９００万人になろうとしています。

ガンは、**腫瘍塊ではなく「ミトコンドリアの呼吸代謝異常による新生物」**です。

本来は、**生物学的に診断するべき**だったのです。

ガン組織は悪性腫瘍であるという「ガン細胞が無制限で増殖したもの」であるかのような誤解から始まりました。

その間違った考え方を、正しい考え方に軌道修正しないと、ガンが世の中から減ることはないでしょう。

◆ガン細胞を正常細胞に戻すことができる

ガンの原因が、ミトコンドリアの呼吸代謝異常で起こる病気だということを説明するためにも、ガン細胞に関する実験や観察された事実、そこから考えられる仮説を見ていきましょう。

ジョンズ・ホプキンズ大学の瀬崎博美先生らが行った実験では、次のような報告がなされています。

互いに融合して成熟した状態にあるミトコンドリアのある細胞に、ミトコンドリアを分裂に導くタンパク質（ダイナミン様タンパク質＝ＤＲＰ１）を加えると、ガン細胞で多く見られる「ＭＡＰＫ経路」が活性化し、ミトコンドリアは縮小と断裂（断片化）しました。

ＭＡＰＫ経路というのは、細胞の外のシグナルを核内に伝えるシステムで、細胞の増殖、生存、分化などの機能を調節します。

このシグナル伝達経路の一つである「ＲＡＳ」は、多くのガン細胞で活性化すると言われています。

この細胞は「**悪性黒色腫の変異体**（**ガン細胞**）」と診断され、ＭＡＰＫ経路の一つであり、ガン細胞で多くみられる「ＲＡＳ変異」が起こっています。

またこの実験では、ミトコンドリアが分裂し断片化すると、**ガン細胞特有の代謝――酸素呼吸の低下と解糖の増大**――をする、ということがわかりました。

この細胞にガン抑制遺伝子を加えると、断片化していたミトコンドリアが融合、成熟した状態のミトコンドリアに戻り正常代謝に戻ったのです。

ミトコンドリアの異常が、ガンと関係していることを証明した重大な報告です。

つまり、**ガン細胞は正常細胞に戻すことができる**のです！

◆ガンの発生は、遺伝子が原因ではない！

ガンの遺伝子異常説は〝**だろう**〟**理論**に過ぎません。

超高齢化が、ガンの増加の原因というのも厚労省官僚の〝**言い逃れ**〟**理論**です。

あまり意味のないガンの遺伝子解析や、今頃になって保険を通そうとしている制ガン剤治療のために、内輪理論の繰り返しで時間を費やしている国立がんセンターには夢も見通しもありません。

ガンの起源はミトコンドリアの呼吸障害です。

ガンは細胞の酸素呼吸能力を奪います。

身体の中の環境悪化によって細胞が酸素呼吸を減らし、発酵を増やして生き残りをはかる過程で、ミトコンドリアが分裂・萎縮し、原核細胞時代へと逆分化していくことなのです。

その結果、ガン遺伝子が活性化し、ガン抑制遺伝子が働かず、細胞核のＤＮＡにも変異も起こるのです。

遺伝子が原因で、ガンが発生するわけではないのです。

一般には、ウィルス、放射線、活性酸素等々によって核のＤＮＡに異常が起こり、がん遺伝子が活性化され、分裂増殖をとめどなく続けるガン細胞へと変異すると言われています。

それに伴って「ワールブルク効果」と言われる酸素呼吸の減少と解糖系の亢進（通常の状態より高まること）も起こる。そういうプロセスで考えていました。

ミトコンドリアの分裂・断片化によって、エネルギー代謝が酸素呼吸の優位から発酵の優位へと、あたかも政権交代が起こるように大きく逆転していきます。

それはまた、核内の遺伝子の不安定性へとフィードバックされます。

ガン化はそういうプロセスだと考えられます。

「細胞内共生説」という主要な説に従えば、ミトコンドリアは18億年前に、高等細胞の祖先である酸素呼吸ができない原核細胞（核のある細胞）に、α（アルファ）プロテオバクテリアが共生したことから発生したと言われています。

その頃、地球では植物が繁栄し始めており、二酸化炭素を摂取し、光エネルギーを使った光合成をして、酸素を吐き出していました。

しかし、その頃の細菌や単細胞生物にとって、酸素は猛毒でした。

そんな中、細胞内に核を持つ高等生物の祖先である原核生物は、酸素が増大していく地球環境でも生き残るために、酸素によるエネルギー代謝ができるミトコンドリアをその内部に共生させることで、酸素を無毒化するとともに、エネルギー代謝の材料としても活用できる真核細胞になったのです。

ミトコンドリアにとっても、細胞の核内に遺伝子の一部を保管することで、遺伝情報の安全を確保できます。

こうして、未分化だった原核細胞が高等真核細胞へと分化が可能になりました。

先ほど述べたミトコンドリアが断片化して、酸素呼吸が減り、発酵が増え、細胞が逆分化していくというプロセスは、この前の時代——細菌のように核を持たずミトコンドリアのような細胞内小器官もない「原核生物」だった時代の生存戦略、つまり発酵に依存し、酸素呼吸を行なわず、ひたすら分裂と増殖を繰り返していた時代に先祖返りする

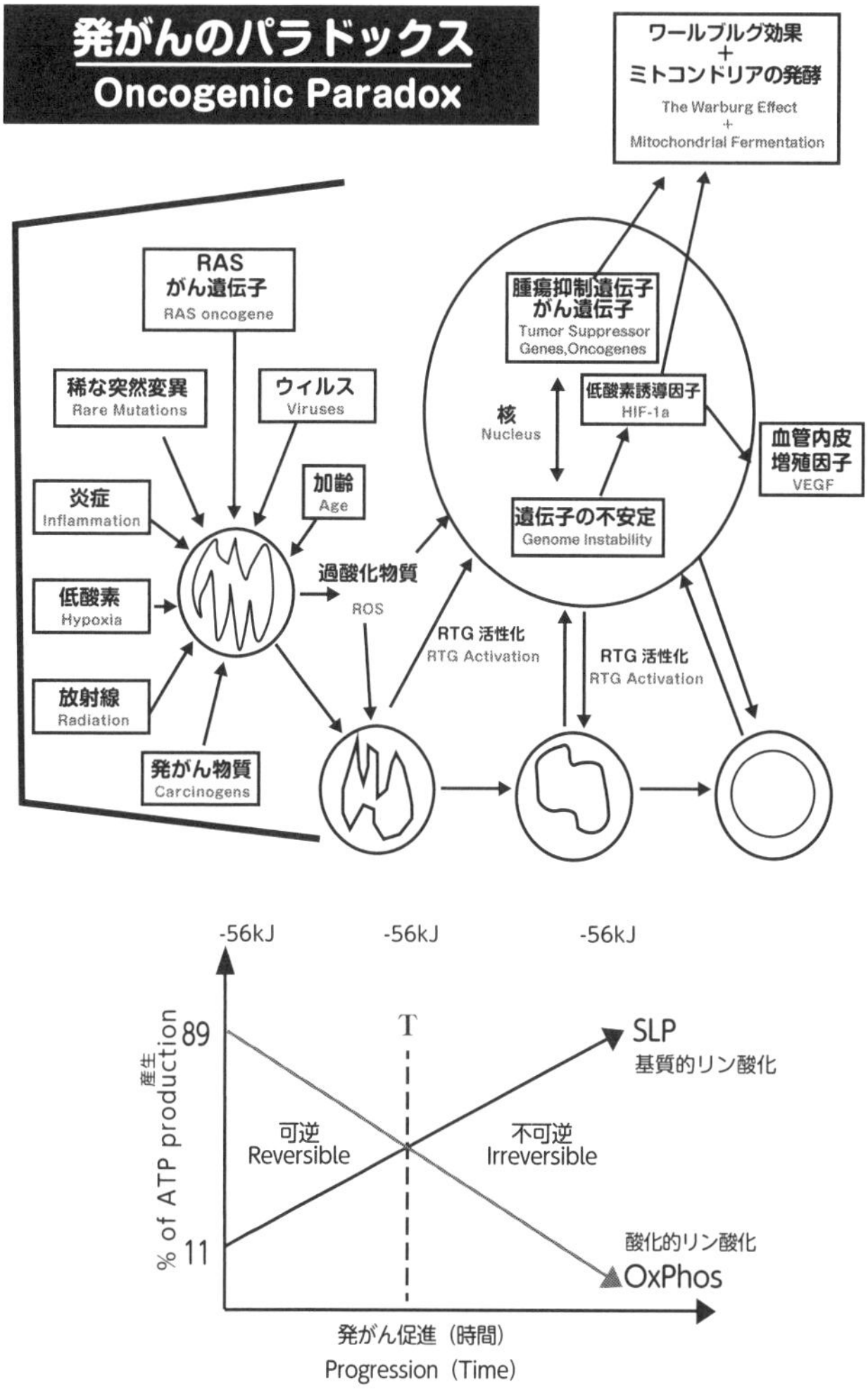

（Seyfried 教授の書籍から引用）

こと——だと考えると、高エネルギー国家から低エネルギー国家へ分化を破壊する状態です。

◆遺伝子とガンが関係ないことは証明されている

公衆衛生学的研究では、ガンの遺伝子異常説がほぼ間違いであることは判明していましたが、当時の国立がんセンターの総長は、遺伝子異常の積み重ねによるコピーミスだと説明し、主張して、逆分化異常と説明していました。

しかし、「ガンの原因」を検討するにあたって重要な実験が、1980年代に相次いで行われていました。

1982年代には、がんセンターにもゲノムセンターが作られて、日本の約95%のガン研究者が「ガンは遺伝子異常だ」と信じ始めていました。

ところが、私も所属していたことがあるがんセンターの放射線生物研究室で、1971年にガン細胞と正常細胞のサイブリット実験（ミトコンドリアを入れ替える実験）を行った結果、核の遺伝子が「正常細胞になるかガン細胞になるか」という状況変化に関するカギをまったく握っていない、ということがすでにはっきりと証明されているのです。

しかし、このノーベル賞級の仕事は、日本ではまったく注目されませんでした。

この報告や、１９８７年と１９８８年にイスラエルとシャーファー両先生が行なった、ガン細胞と正常細胞のサイブリット実験などが、米国のジョンズ・ホプキンズ大学のペーター・ペダーセン教授や、ボストン大学のトーマス・サイフリッド教授らに確認されました。

そして、２０１１年発表の『Cancer as a Metabolic Disease』が出版され、世界中の医師たちがその内容を目にすることとなりました。

そして、**ガンはミトコンドリア呼吸代謝異常**だという認識が、今では世界で主流を占める考えとなっています。

そのサイブリット実験では、**「正常細胞の核抜き細胞とガン細胞のハイブリッドを作ると、正常細胞ができる」**ことを証明しています。

逆に「正常細胞とガン細胞の核抜きをハイブリット化すると、そのサイブリットはガン細胞になるか、死ぬかである」ことも証明しました。

この実験結果は、核の遺伝子説の間違いを示すものですが、この事実は、ガンの標準治療の根拠をすべて無意味なものにさせてしまうので、医療業界からは非常に大きな抵抗があります。

もし遺伝子異常でガンが発生するのであれば、遺伝情報は細胞核に保管されているので、ガン細胞の核が入った「3」の細胞は、変異したＤＮＡによってガン細胞になるはずです。

また、正常細胞の核が入った「4」の細胞は、核の遺伝情報が正常なのだから、ガン細胞にはならないはずです。

ところが、実験結果はまったく逆のものでした。

つまり、**ガン細胞になるかどうかはＤＮＡのある核に影響されるのではなく、細胞質のミトコンドリアの状態に左右される**のです。この実験で明らかにされています。

【細胞のサイブリット実験】

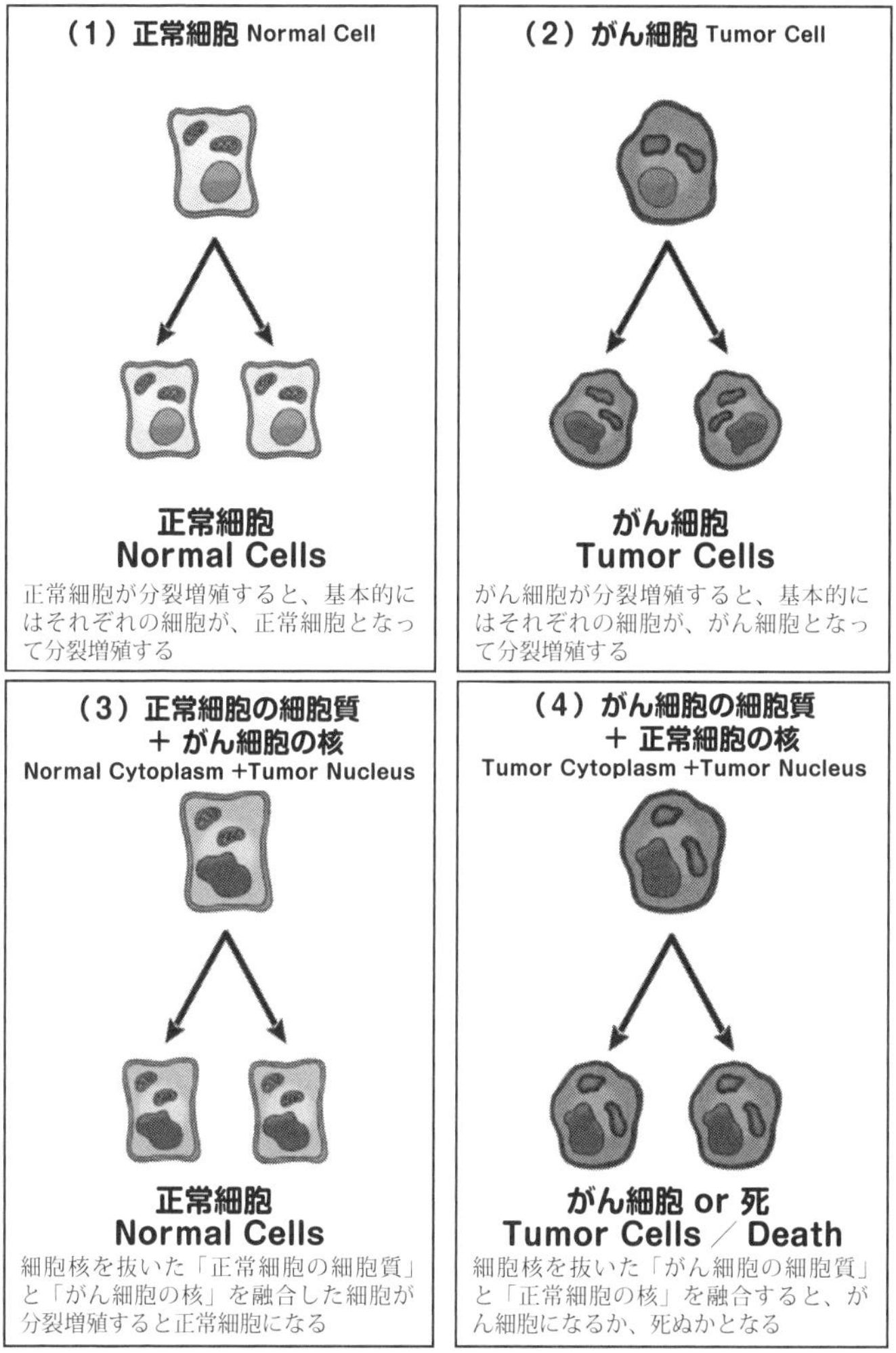
（１）正常細胞 Normal Cell
正常細胞
Normal Cells
正常細胞が分裂増殖すると、基本的にはそれぞれの細胞が、正常細胞となって分裂増殖する
（２）がん細胞 Tumor Cell
がん細胞
Tumor Cells
がん細胞が分裂増殖すると、基本的にはそれぞれの細胞が、がん細胞となって分裂増殖する
（３）正常細胞の細胞質 ＋ がん細胞の核
Normal Cytoplasm +Tumor Nucleus
正常細胞
Normal Cells
細胞核を抜いた「正常細胞の細胞質」と「がん細胞の核」を融合した細胞が分裂増殖すると正常細胞になる
（４）がん細胞の細胞質 ＋ 正常細胞の核
Tumor Cytoplasm +Tumor Nucleus
がん細胞 or 死
Tumor Cells ／ Death
細胞核を抜いた「がん細胞の細胞質」と「正常細胞の核」を融合すると、がん細胞になるか、死ぬかとなる

◆ミトコンドリアは生物にとって生命活動のリソース

人間の腸の中には、1000兆個の細菌がいて、それらがさらに60兆個の細胞の活動を支えています。

また、100個の細菌が1個の正常細胞を支えており、1つの細胞の中にミトコンドリアが平均して300～400個存在しています。

肝臓、腎臓、筋肉、脳などの高等機能を有する細胞には数百、数千のミトコンドリアが存在しています。

ミトコンドリアは心臓に一番多く存在します。心不全とミトコンドリアの関係を研究している人もいるくらいです。

食べ物からのエネルギーでは、身体のエネルギーの2割を賄っています。8割は、酸素からミトコンドリアを通じてエネルギーを得ています。

呼吸が一番大事で、酸素を使うことがとても重要です。

酸素は、実は猛烈な毒です。活性酸素はガンに対して効果を発揮しますが、正常細胞もやっつけてしまいます。

そんな**活性酸素を逆手にとってエネルギーに変えるのがミトコンドリア**です。

ミトコンドリアが細胞に入ってくれたお陰で酸素を使えるようになり、生物はエネルギー（ＡＴＰ）を作れるようになりました。ミトコンドリアがないと、生物として存在できないのです。

世界ではミトコンドリア病について注目している医師は数多くいます。

そして、**ミトコンドリア病の最たる病が「ガン」**なのです。

核は二重の膜で守られているから外的要因にも強いのですが、**ミトコンドリアは一重の膜しかありませんので、非常にデリケートなので壊れやすい**のです。

だからこそ、ガンになってしまうのです。

ミトコンドリアには、生物の細菌時代の遺伝子がそのまま影響しています。我々が食物や生活習慣でミトコンドリアの働きを破壊しなければ、身体が正常な働きを失することはありません。つまり、邪魔さえしなければ、勝手に健康でいられるはずなのです。

健康のために重要なのは、ミトコンドリアを壊さないことが一番なのです。

◆大切なのは、ガンを治すことではなく「減らす」こと！

日本人の食生活の変化を論議することなく、ガンの増加を論議する議論は欺瞞ではないでしょうか？

人間の細胞内のミトコンドリアが食生活習慣で壊れているのであれば、悪いのは自分の細胞のミトコンドリアを壊している人間自身です。

米国が日本食は理想食であるということを認めた事実を40年以上前に知りながら、ガンを増加させてしまう米国スタイルの食を、盛んに取り入れてきた日本政府の愚かな歴史は拭うことができない事実です。

また、ガンを増加させる「**カゼイン**」が入っている牛乳の供給量を１００倍に増加させ、肉の焦げが強い発ガン性を持つと指摘されているのに、肉の供給量を25倍にも増加させているのですから……。

パン食も25倍に増加させて、グルテンたっぷりの食べ物を日常に根付かせてしまいました。このカゼインやグルテンの中に含まれている「**グルタミン**」が、**ガンの主な栄養**なのです。

パスタやうどんも然りです。これらは小麦で作られている食べ物です。

遺伝子組み換えでない素材を使っていたとしても、グルテンとたっぷりの炭水化物の影響は免れません。

非常に冷たい飲料の過剰流通で腸管を冷やし続ける日常。

糖分たっぷりの食事やスイーツを日常的に食べて、グルタミン中毒になってしまっている現実。

そして、偏食によるビタミン不足。

われわれの食生活をきちんと見直さなくては、ガンが減ることはありません。

そもそも**大切なのは、ガンを治すことが重要なのではなく、「ガンに罹る患者を減らすこと**」なのです。

◆夢のガン治療薬は存在していない

現代医学が初めて免疫を見直し開発された、夢のガン治療薬と称される「オプジーボ」（小野薬品工業の免疫チェックポイント阻害薬／一般名：ニボルマブ）という薬がありますが、年間３５００万円もかかる、最後の手段のようにこの高額医療に飛びついている現実があります。

しかし、この夢のガン治療薬と称されるクスリでも、２割くらいのガンにしか効果がないことが判明しています。

エスタブリッシュメントのガン治療では、これまで免疫測定も本来の免疫学も完全に無視をしていましたが、本庶佑先生のノーベル賞受賞とオプジーボの認可とで、ガン治療に地殻変動が生じつつあります。

そして免疫のブレークスルーだとして騒がれていますが、大事なことは、この薬によってガン患者が減少するわけではないということです。

しかし、**私はガンの予知・予防と、再発予防が実践できる腫瘍マーカー検査を開発することに成功しています。今まで２万６千人に実施してきました。**

ＴＭＣＡ検査（腫瘍マーカー総合診断法）という検査です。

ぜひこの検査を世の中の役に立てたいと考えているのですが、厚労省には無視され続けています。なぜか厚労省は、画像診断の神話にしがみついているのです。

このＴＭＣＡ検査は、**がんの予知・予防と、超早期発見・再発予防を実践できる唯一の検査**と言っても過言ではありません。

後述しますが、**採血と採尿だけで、ガンが画像診断で認識できるような状態になる前からガンの発生を発見できます。手術後の再発予防にも非常に有効です。**

◆古い方法にしがみつかず、今こそ正しい治療に！

なぜ古い方法にしがみついているのか？

日本のがんセンターの医師たちは、20年以上もの間、免疫治療は詐欺だと長らく言ってきました。

最近ようやく、免疫チェックポイント阻害治療薬である「オプジーボ」の登場で、免疫を否定できなくなってきました。

しかし、今でも医師が免疫治療のことをよく理解しているわけではないのです。ましてや、制ガン剤と免疫治療を同列に扱うこと自体が大変な間違いです。

制ガン剤専門の腫瘍内科医は、食事療法を全く無視してきました。

オンコロジスト（制ガン剤を使って診断・治療・臨床研究などを行う医療従事者）ですが、ガンはミトコンドリアの呼吸代謝病だということを知らない医師たちだったのです。

食事が効果あるかどうかは、私が開発したＴＭＣＡ検査を行えばわかりますが、画像診断程度では塊の大きさしかわからず、ほとんどわからないことが多いでしょう。

何よりも悪質なのはがんセンターを後ろ盾にして、大口をたたき、食事療法が効いているかどうか判定する科学的な目安を全く持たずに、個人の経験談だけをしゃべっていたのです。

がんセンターの有名医師がこの程度ですから、日本のガン死が減少しないのはガン専門医という医師が視野狭窄なのです。

厚労省は「早期発見・早期手術」をすればガンになっても助かる、と言います。しかし、このガンに対する二次予防対策は、**米国が約40年前に「この方法ではガン死を減少できない」という結論を出している方法**なのです。

その古い方法……40年以上もだらだらと効果の出ない、ガンの第二次予防をなぜ続けているのでしょう？

◆ガン化のリスク因子が判明した！

ビタミンは、歴史を動かして来た重要な因子でした。

例えば、**ビタミンC**は、英国海軍が大英帝国として強かった原因は、ピクルスを酢がけにすることでビタミンCを保存し、それを兵士たちが補給できていたからなのです。

「ビタミンC」は健康のベースとして非常に重要なビタミンです。

ガンは、**帯状ヘルペスウィルスが潜在感染して発ガンさせていることが多い**ので、**ビタミンCは特に重要**です。ビタミンCはストレスで低下しますので、十分にとれているかどうか、尿で測定する試験紙があるので自分で調べてみましょう。

2018年に、**ガン化のリスク因子**として、**「低ビタミンA」「低ビタミンD」「低サイクリックAMP」**が判明しました。悪性腫瘍説を打ち破る、私の発見です。

ビタミン不足が、明らかに発ガン因子になっていたことに気づいた時は衝撃でした。しかもビタミンAについては、厚生省が「ビタミンA・Dは脂に溶けるので、たくさんとると過剰摂取になります」と主張してきたビタミンだったということは歴史的な不正です。

まず、ここでは低ビタミンAの「risk factor for carcinogenesis」について説明します。これは、59名のガン患者と10名の健常者を調査した結果です。**血中のビタミンA濃度**が**250IU/ml**あれば、ガンに罹りにくいということが判明したのです。

ビタミンDの場合には、**30 ng/ml**が必要です。

サイクリックAMPの場合には、**25pmol/ml**が必要です。

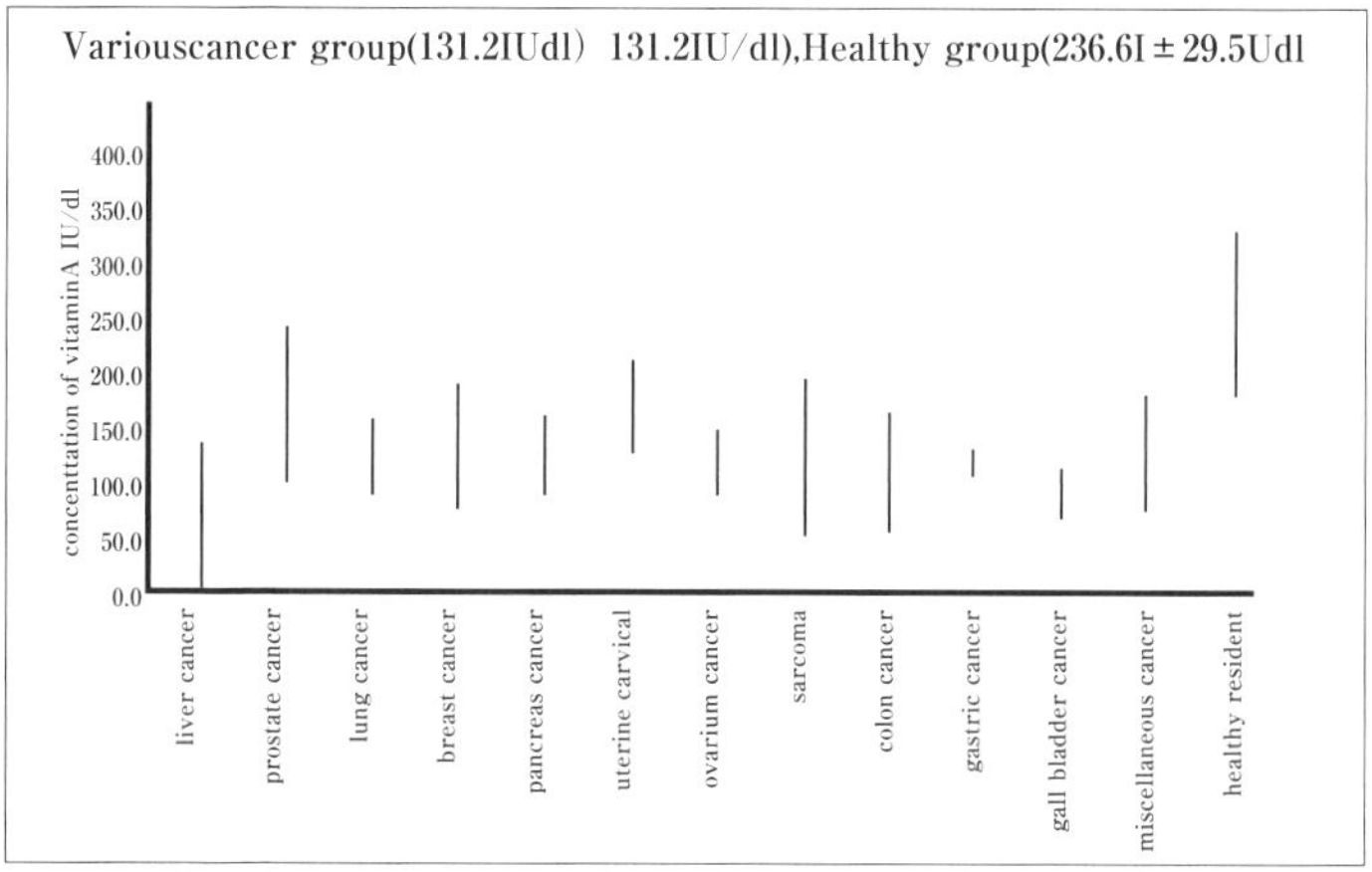

◆なぜ、ビタミンAとビタミンDが重要なのか？

ビタミンAと**ビタミンD**は、ほとんどの人があまり気を遣っていないビタミンだと思いますが、ガン治療においては非常に重要な役割を果たします。

『**ビタミンA**』は、その前駆体であるベータカロチンが豊富な食物から摂取することができます。

サツマイモ、にんじん、かぼちゃなどが代表的です。

うなぎにも豊富に含まれています。

ビタミンAには、強い免疫力を作るには必須で、近年増えている自己免疫疾患とも大きな関係があります。身体の異常な免疫反応を抑える効果もあると言われています。

詳しいことはまだわかっていませんが、ガン治療においてもこのビタミンAの補給が非常に重要な鍵を握っています。

『ビタミンD』は、皮膚に直接日光を当てることで、体内で合成されると言われています。しかし、日差しのそんなに強くない日本で外出の際に太陽の光を浴びるくらいでは、十分な量を得ることはできません。

また、アジ、サンマ、サバなどの青魚類などからも摂取できます。

キクラゲや椎茸などのきのこ類からも摂取できます。

ビタミンDは、ビタミンと言うよりもホルモンのような働きをします。ビタミンDが不足すると人体内の約２万個の遺伝子中にある６００の遺伝子がその役割を発揮できなくなります。

ビタミンDが重要であることは、昨今さまざまな書籍でも言われています。

ビタミンAとビタミンDは、どちらが不足してもガンの発生を抑えることができません。

ビタミンAとビタミンDに関する認識は、過去の医学知識から大きく変わってきています。

最近の研究から、**ビタミンDはガンや認知症をはじめ、その他の病にも極めて有効で**あることがわかっています。

最近のコロナ騒動で「免疫力」を高めるという観点から、高濃度ビタミンCも注目されたのは記憶に新しいところです。

アメリカでは、ビタミンA誘導体が乳ガン治療で保険の適用を受けています。

米国の治療費は、日本の保険診療と比べると信じられないほど高額です。そのため予知・予防戦略に対する意識が高く、ビタミンに対する認識が、日本の何倍も高いのです。ところが**日本の健康保険では、「予防」に関する項目は適用されません。**ビタミンを処方しようとしたところで、病院側の利益にはつながらないので検査もしていないのです。

ガン患者では、ビタミンAとDの両方が少ない人がほとんどであるということが、数多くのガン患者を診察してわかっています。

特にビタミンAが際立って多い方は、ガンになってもほとんど重症にならない傾向があります。

ビタミンCとビタミンDは、さまざまなメーカーから数多くの商品が発売されており、街中のドラッグストアなどで簡単に手に入れることができます。ただし、市販されているサプリメントのビタミンC、Dの含有量は、米国などと比較すると、極めて少ないのが残念です。

また、ビタミンAを入手したいと思っても、日本のドラッグストアでは、ほとんど手に入れることができません。手に入れるためには医師の診断が必要になるケースもあります。

ビタミンA、C、Dなどが不足しているかどうかは、1年に1度くらい、きちんと基準値に達しているかどうかを近くのクリニックで調べてもらうといいでしょう。

アルツハイマー病などの神経変性疾患の世界的権威であるデール・ブレデセン医師もベストセラー著書『アルツハイマー病　真実と終焉』で言及しているように、認知症についても、ビタミンD不足との相関関係があります。

1人ひとりが、60兆個の細胞の大経営者としての自覚をもち、自身の健康管理に意識をしっかり傾けていかなくてはなりません。

◆サイクリックAMPの投与で、ガン細胞が5時間で正常細胞に

「低サイクリックAMP」も、ガンの発生に大きく起因します。

しかし、「サイクリックAMP」については、聞き慣れない人も多いと思います。

細胞活動に必要なエネルギーは、細胞内小器官のミトコンドリアがつくるエネルギー物質**「ATP（アデノシン三リン酸）」**によって供給されています。

サイクリックAMPは、このエネルギー物質であるATPと同じように、エネルギーを含んでおり、そのエネルギー量はATPが10キロカロリーに対して、サイクリックAMPは12キロカロリーと、ATPより大きいこともわかっています。

そしてミトコンドリアでのみ作られ、「サイクリック」という環状構造以外は、ATPと分子構造も同じです。

45年以上前から、私の研究ではわかっていたことがあります。

ガンを発症すると、サイクリックＡＭＰの量が減少して、免疫力も低下するということです。

１９７９年のコロラド大学の研究グループによって報告された結果には、卵巣ガン細胞に少量のサイクリックＡＭＰ（細胞内情報伝達物質）を加えると、５時間で正常な線維芽細胞に変化した、というものがあります。

この結果を見て、**ガン細胞には遺伝子が関与していない**と確信しました。

たった5時間でガン細胞が正常細胞に戻ったのです。

さらに、「脳腫瘍細胞ＮＢ―１」にサイクリックＡＭＰを少量（１マイクログラム）加えて30日間培養したところ、正常な細胞になったという結果も報告されています。

サイクリックＡＭＰを少量加えただけで、ガン細胞が数時間、あるいは数十日で正常細胞に再分化しているのです。

◆サイクリックAMPを含んだ漢方薬が、ガンを抑制

わたしはすでに30年以上前に、18種類の成分が入っている、**ガンに効く漢方薬**の研究を行なっていました。

『**サンアドバンス（SA）**』という漢方薬です。

18種類の生薬の一つには、ガン細胞を正常細胞に変えることが実証された「サイクリックＡＭＰ」が多量に含まれていて、この成分が効果に大きく作用していると考えられます。

こんな実験データがあります。

正常細胞に対してこの漢方薬（ＳＡ）を加えて培養し、ＳＶ４０ウィルスという強いガンウィルスを感染させました。

このウィルスが細胞核に入り、感染が確認されてもなお、ガン化はしませんでした。

ところが、**この漢方を取り除くと、細胞はガン化してしまいます**。

また、この漢方をネズミに飲ませながら、尾の静脈から５００万個のガン細胞を注入

して2週間後に解剖し、リンパ節に何個の転移があるかを調べました。

すると、漢方の量を増やせば増やすほど、転移を抑制する率が上がったのです。

コントロール群（漢方なし）では、抑制率は0％、1ミリリットルあたり0・9ミリグラムを投与した群では抑制率が21％、4・2ミリグラムでは抑制率が59％でした。

漢方薬は普通、時間をかけて全身に効果を及ぼすと言われているので、化学薬品のように量を増やせば増やすほど、それもガンの転移を防ぐというのは、どう解釈していいのか解せませんでした。

そこで調べたのが、呼吸の状態への関与です。

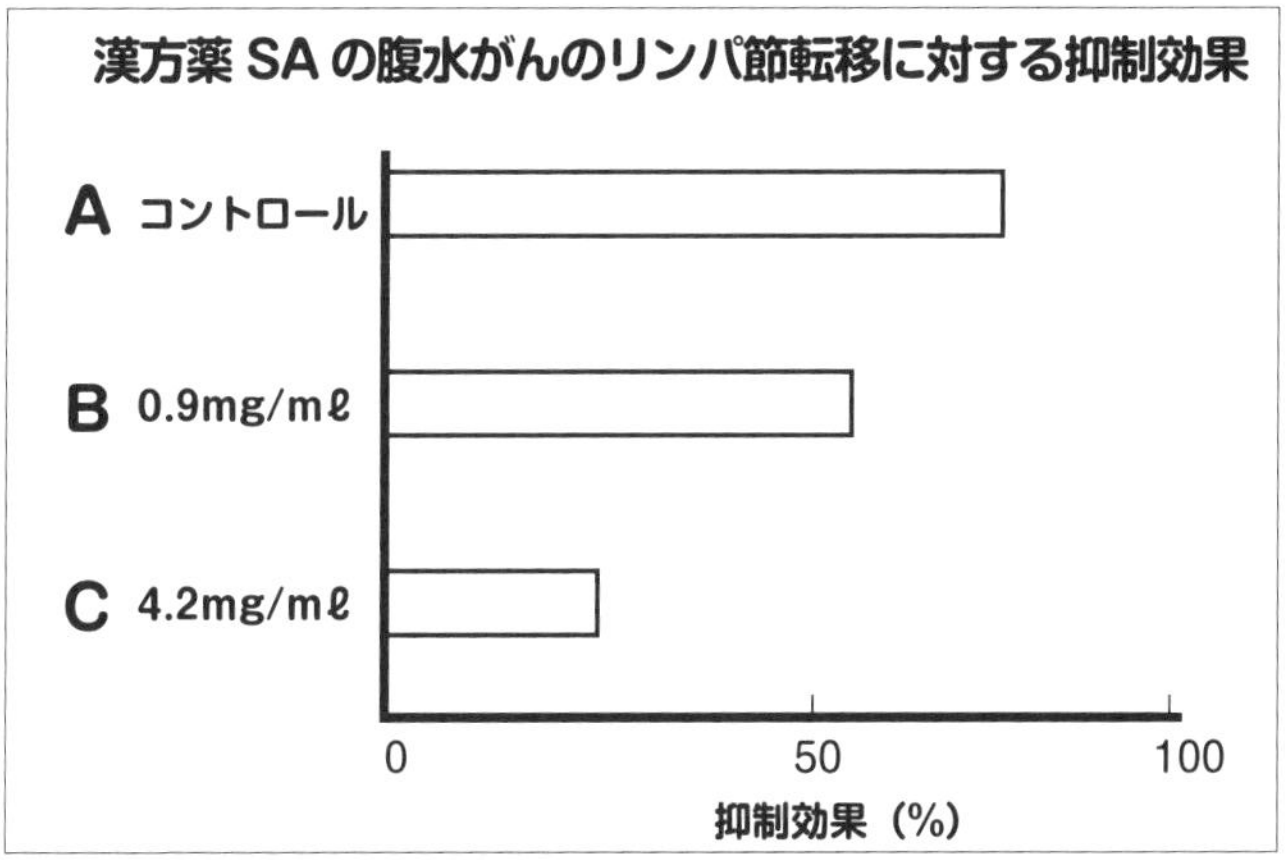

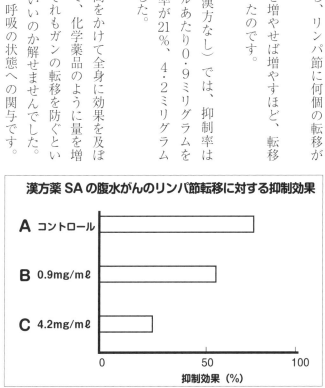

腹水ガン細胞を使った実験で、アルブミン（タンパク質）やグルコース（糖）、パルミチン酸（脂肪酸）と組み合わせると、この漢方は30分でガン細胞の酸素呼吸をピシャリと抑制したのです。

漢方の成分や働きには未解明な部分がありますが、以下の4点が明確にわかっています。

【1】正常細胞の核にウィルスが入り、感染が確認されてもそれとは関係なく、ガン細胞化を抑止
【2】ガン細胞の増殖や転移を、量を増やすほどに抑止
【3】アルブミン（タンパク質）、グルコース（糖）、パルミチン酸（脂肪酸）と協調して、ガン細胞の酸素呼吸を抑制
【4】正常細胞に対する副作用はなし

この漢方「サンアドバンス（SA）」が、**ガン細胞の呼吸を抑制しているのは間違いなく、その効果に大きく作用しているのが「サイクリックAMP」というのがポイント**

です。

ジョンズ・ホプキンズ大学のペーター・ペダーセン教授らによると、ミトコンドリアによる「酸素呼吸」と細胞質内の「解糖（発酵）」の比率は以下の通りです。

・正常細胞→呼吸90％、解糖10％（9対1）
・ガン細胞→呼吸40％、解糖60％（4対6）

このことから、漢方薬の投与によって、ガン細胞の呼吸を抑制し、ガン細胞の増殖や転移を抑止し、増殖停止へと導いていると考えられます。

「世界で最も読まれている論文」と言われるライツァー氏の論文がありますが、そこで指摘されているとおり、酸素不足の環境に強いガン細胞といえども、ミトコンドリアの呼吸がまったくのゼロでは生存できません。**ミトコンドリアが正常に呼吸をするということが如何に大事なのか**、ということがよくわかります。

◆ミトコンドリアの復活には熱が大きく関与している

ミトコンドリアを正常な状態に復活させるには、熱が大きく関与しています。身体を温めて冷やさないことは、非常に大事です。

低酸素、**低血圧**、**低体温**などは、ガンにかかってしまいやすい体内環境を作る大きな要素になってしまいます。

▼低酸素について

低酸素については、2019年に細胞が酸素濃度を感知し適応する仕組みを発見した「ウィリアム・ケリン（William G. Kaelin Jr.）医師」「ピーター・ラトクリフ（Peter J. Ratcliffe）医師」および「グレッグ・セメンザ（Gregg L. Semenza）医師」がノーベル生理学・医学賞を受賞している研究において、ガンとの関係性を説明しています。

ケリン医師は、ガン抑制遺伝子一つであるＶＨＬが変異すると、腎臓ガンの罹患リスクが高いフォン・ヒッペル・リンドウ病という難病の原因となることに注目しました。

ＶＨＬの研究によって、ケリン氏と共同受賞者たちは、人々が高地の薄い空気に順応するとき身体がいかにして酸素の変化を感知し適応しているかという、長年の生物学的な謎を分子学的に解明し、大きな発見を成し遂げました。

この謎を追究することで、ケリン医師は**ＶＨＬタンパク質が低酸素誘導因子（ＨＩＦ）の酸素感受性に関わる分子スイッチを発見**しました。

ＶＨＬ遺伝子が変異したガン細胞は、増殖に必要な栄養を得るためにガン細胞周辺に新しい血管をはりめぐらせます。

これを**血管新生**と言います。

▼低血圧について

全身の血管やそこを流れている血液、血液を送るポンプの役割をしている心臓は、すべて血液循環を循環させるために必要です。人間が生きるためには、**血液循環がしっかりしていることが重要**です。

低血圧ということは、この副交感神経の過緊張でスムーズに行われていない可能性があります。

低血圧の代表的な例として、疲れやすかったり、身体がだるかったりするなどの症状があります。また、スタミナ不足や疲労回復が遅いなどという症状もあります。夏の暑さや冬の寒さへの抵抗力が低いなど、季節の変化に身体がついていかないなどがあります。

低血圧は、適度の運動と味噌汁の摂取で改善していく必要があるでしょう。

普通の血管は針葉樹のようにまっすぐ伸びているので、血圧への影響は少ないです。

しかし、**ガンの血管は蛇行していて血流が詰まりやすいのが特徴です。ガンが低血圧で悪化する原因になっていることもあります。**

だからと言って、高血圧でもいいという訳ではありません。

高血圧の人は、脳出血や脳梗塞、くも膜下出血などを引き起こしやすくなります。また、狭心症や心筋梗塞などの命に関わる病気をおこしやすくなります。高血圧が長期化すると、腎臓障害なども起こしやすくなります。

そのため、一般の医師は、血圧が高いと見ると医師はすぐに降圧剤を飲むように勧めて来ます。

しかし長い期間、降圧剤を飲み続けて状態が落ち着いてくると、ガンが出てくることがあります。

低血圧は、ガンになる可能性を高めます。

ガンの治療の中には、血圧を上げる治療もあるくらいです。

血圧の数字が少し高いという程度で、無理やり血圧を下げるような治療はお薦めしません。

▼低体温について

低体温についても同様です。

低体温は、さまざまな病気の原因となります。

明確な定義はありませんが、36・5度未満を基準に、低体温と考えるのがいいかもしれません。

低体温の健康リスクの一つが免疫力の低下です。

身体が冷えると脳からステロイドホルモンや神経伝達物質が分泌されます。そのためにリンパ球や細胞の働きを低下させて免疫力が下がってしまうのです。

免疫力が下がれば、それだけ感染症やガンにも罹りやすくなります。

また、体温が下がるほど消化吸収から思考力に至るまで、多くの臓器・身体機能が低下してしまいます。

基礎体温が低い方は、免疫力が下がらないようにするためにも、毎日、お湯を貯めて温冷浴をするなど、日常から身体を温めて低体温の状態にならないようにしましょう。

葛根湯を服用するとか、生姜を常用するとかもいいでしょう。

免疫力が下がれば、前述したように免疫力が下がり、ガンが発生する可能性も高くなってしまいます。

【体内環境の熱に関わる３つの注意点】

低酸素　**低血圧**　**低体温**

◆免疫力を下げないようにする必要がある！

日本のガンの医療現場では免疫を測定していないので、免疫に関する認識・知識がひどく不足しています。これは、ガンだけの問題ではありません。免疫力が下がっていれば、例えば、新型コロナなどに感染した場合、当然のごとく重症化しやすくなります。

しかも日本のガン対策では、外科的対策が95％ですから、ガンの専門医でも免疫に対しては無知な状況に陥っています。

制ガン剤を使うオンコロジスト（腫瘍・ガンにかかわる診断・治療・臨床研究などを行う医療従事者）も全く免疫を測定しませんので、同様の欠点をかかえています。

しかし、「免疫が低下してガンができるきっかけとなる」という事実は、変わることがありません。

▼冷たいものを控える

冷たい物を飲み、腸を冷やすと免疫力を下げてしまいます。

ガンは、低血圧・低体温・低酸素の臓器に起こりやすいのです。

腸管には温度を感じるセンサーがありません。

冷たいものを飲んだり食べたりすることで、腸管の重要な働きである腸管免疫を傷害させて、腸内細菌がやすやすと腸管内に入り、白血球やリンパ球に侵入して防衛細胞の機能が弱化する、ということが判明しています。

冷たいもの中毒として、冷たいビール、よく冷えた缶ジュース、オーバーアイス（氷を入れて飲むこと）、アイスクリームなどを大量に摂取することは、自傷行為です。

▼腸管内細菌を増やす

腸管内細菌を増やして、免疫を下げないようにする必要があります。善玉菌のみならず、日和見菌（ひよりみきん）などの中間細菌にも免疫調整機能があることがわかってきました。

納豆、ヨーグルト、味噌汁、酢などはお薦めです。日々の食事に、継続して取り入れていきましょう。

また、自然由来の食材が豊富に手に入り、ストレスの少ない田舎のようなところで、子どもは成長した方がいいと感じます。

▼薬物に依存しない

感染症にかかったときに、「炎症抑制剤」や「抗生物質」に依存し過ぎないで治すことをおすすめします。

発熱をするということは、身体の免疫を上げる重要なチャンスなのです。

理由があって、発熱という症状になっていることがあります。

そんな時に、熱を抑える医薬品を安易に使用するのは、免疫にとって、マイナスになる愚かな行為です。

必要な状態の時にはしっかりと投薬治療をおこなう必要はありますが、依存状態にならないように、注意しましょう。

▼ビタミンの状態を調べておく

ビタミンA、ビタミンC、ビタミンDの低下が発ガンのリスク因子であることが判明しました。これは画期的な発見です。

自分の身体のビタミンの状態をクリニックなどに頼んで調べておくことをお薦めします。

もちろん、ガンだけの問題ではなく、免疫力の高い身体づくりには、ビタミンが重要です。基本であるビタミンCでさえ不足している人が多いのが実態です。

ビタミンCは体内で生成できないので、きちんと補給することが大切です。

▼自分の免疫力は自分でチェックする

自分の免疫が鍛えられているかどうかは、血液検査でわかります。白血球数が、5000以下になっていないかどうかなど、定期的に確認してみましょう。白血球数が、3000くらいになると問題です。

腸管でリンパ球が作られていることも、オプジーボの件でノーベル賞を受賞した本庶先生が解明していますので、腸管の免疫の低下問題は重大です。

ガン細胞は勝手に増殖するわけではなく、免疫能力の低下が発症に影響していることは間違いありません。

白血球が低下する現象は、何か異常だと思える症状が出ていない限り、医師もあまり意識していないことが多いのが現実です。

皆様が検診を受けるときには、自分の白血球数やリンパ球のパーセンテージは、必ず自分で確認をしましょう。

▼正式に免疫測定をする

免疫測定には、私が行っている検査では3万5000円くらい必要ですが、重要なことなので普段から免疫を測定をするべきでしょう。

免疫を測定する費用がない人には、「自律神経測定法」で『良導絡検査』（測定価格は1000円くらい）を行うことで、免疫を推定できます。良導絡検査は、一般の病医院ではあまり行っていませんが、私は有効に活用しています。

また、「血中のサイクリックAMPの濃度」は、免疫能力との関係があるので、これも調べておく必要があるでしょう。

昔、よく行われていたツベルクリン反応検査やBCG接種をしなくなったことも、T細胞性免疫を低下させて、ガンにかかる率を上げているという報告もあります。

◆ガンをはじめ、病気になるような食生活習慣をやめる

1973年以降、アメリカでは、ガンの死亡率が増加し続けていました。肥満や心臓病、糖尿病なども増え続けている状況で、アメリカでは大きな問題になっていました。

第38代大統領のフォード（ジェラルド・ルドルフ・フォード・ジュニア）は、その状況を改善するために、上院議会に「特別委員会」を設置。幅広い分野の専門家たちを集め、国家的な調査プロジェクトを開始しました。

その特別委員会の委員長が「マクガバンレポート」をまとめたジョージ・マクガバン（上院議員）でした。

世界各国を地域や人種などに分類し、食生活と病気、健康状態との相関関係を専門的に調査・分析し、2年の歳月をかけて**「アメリカ合衆国上院栄養問題特別委員会報告書（通称：マクガバンレポート）」**にまとめました。

このレポートをきっかけに、肉と脂肪の摂取を減らすなどの食事指導がアメリカで行われ始めました。

「マクガバンレポート」では、東洋医学の医食同源という考え方や、日本食の優れた面なども紹介され、がんを防ぐための有効な手段として取り入れることを薦めていました。

日本ではアメリカなど西洋の食事を生活の中に取り入れて、今や二人に一人がガンに罹る時代だと言われるようになっています。

もちろん、ガンに罹患する理由は食事だけではないでしょう。しかし、食事がその原因の中心を占めているのは間違いありません。

当時の日本では、ガンと言えば「胃ガン」が中心で、ガン死の確率は米国の半分以下でした。そのため米国は「食事とガン」に相関関係があると考えて、ガンの第２次予防である「検診」から、がんの第1次予防である「食生活習慣」へと考えを転換しました。

米国ではガン死亡者を減少させるためには「食生活習慣」が大変重要であると考え、米国のすべての医学部に「栄養学教室」を設けました。

ガンの死亡率を下げるための研究や対策に対して、国家をあげて正式に費用が投じられたのです。

日本では残念なことに公衆衛生大学院もなく、日本の医学部では80校のうち10校ありましたが、現在は1校に減少しています。

次に、米国では80年代に調査研究がひと段落すると、90年には、米国国立がん研究所（NCI）が「**デザイナーズフーズ・プロジェクト**」を開始しました。

ガン予防に役立つ食品群をデザイナーズフーズとしてまとめ、**主に野菜の摂取を呼びかけました。野菜や果物など、約40種類を3群に分けてピラミッドの表にまとめて**います。

これらの食品群は、ガンの予防に限らず、免疫力を高め、生活習慣病を防ぐ作用があります。この表は米国で作成されたため、海藻類に関する調査が不足していますが、現在では、これらに加えて多くの海藻類が食生活に取り入れられるようになっています。

その中でも「**5 A DAY（ファイブ・ア・デイ）**」と呼ばれる、野菜や果物の摂取を増やし、低脂肪・高植物繊維の食生活を普及することを目標に、野菜や果物を１日に５皿以上食べる運動が推進され、それらの習慣が米国民の間で少しずつ広がりました。

こうして米国は世界に先駆けて、「食生活の改善」や「禁煙運動」に取り組んだ結果、ガン死を減少させることに成功したのです。

２０１５年の米国国立がん研究所の発表によれば、この20年間でガン死亡者数は22％も減少し、米国の人口増加との比較でみれば、40％余り減少したということです。

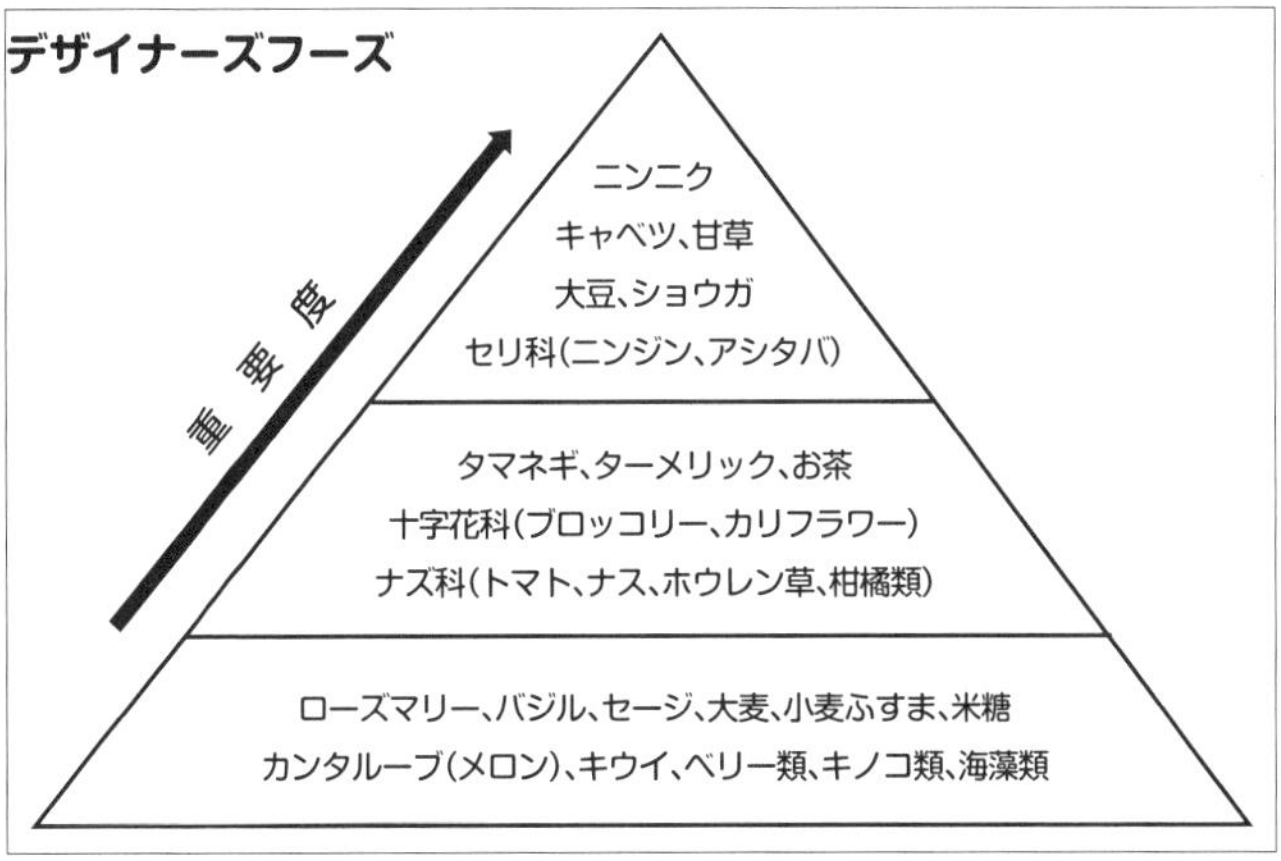

◆ガンは「食生活習慣病」であるという証明

１９７０年代、**ガンは「食生活習慣病」である**ことが、米国・ニューヨーク州にあるコーネル大学の栄養生化学部名誉教授であるＴ・コリン・キャンベル教授たちによる、**中国の大規模な疫学調査「チャイナプロジェクト」**などにより判明しています。

このキャンベル教授は、**「栄養学のアインシュタイン」**とまで呼ばれ、40年以上にわたり、栄養学研究の第一線で活躍された方です。

この調査は１９７３年から１９７５年にかけて行われました。

当時の中国は経済的に貧しく、国内を広範囲で移動できるのは全人口の数パーセントだったため、地域による食生活習慣の違いが明確に残っていました。

このため、例えばこの後の見開きページに掲載した図は、中国全土で行なった死亡率調査を元に「１９７３年～１９７５年の男性の〝胃ガン〟の死亡率」を群別に色分けしています。特定のガンの死亡率が多い地域と少ない地域に、くっきり別れるという調査結果が出ました。

アミ点の濃度が一番濃い部分は「死亡率が著しく高い」で、以下、アミが薄くなるに従って死亡率が低くなっていきます。白い部分はデータがない場所です。

このデータを含めた報告をまとめた書籍では「ガンの罹患率が最も高い地域では、そのガンの患率が最も低い地域の１００倍もあります。この数字は驚くべき差である」と指摘しています。

「ガンは遺伝子の病気である」と考えていた人々にとって、これは衝撃的なデータだったはずです。

遺伝子の異常が原因でがん発生するのであれば、多少の誤差はあるとしても、どの土地の誰でも、同じような割合で発生することになるはずだからです。

このような結果がとっくに出ているにも関わらず、日本の医学界は、遺伝子研究や遺伝子治療などに矛先を向けてしまったのです。

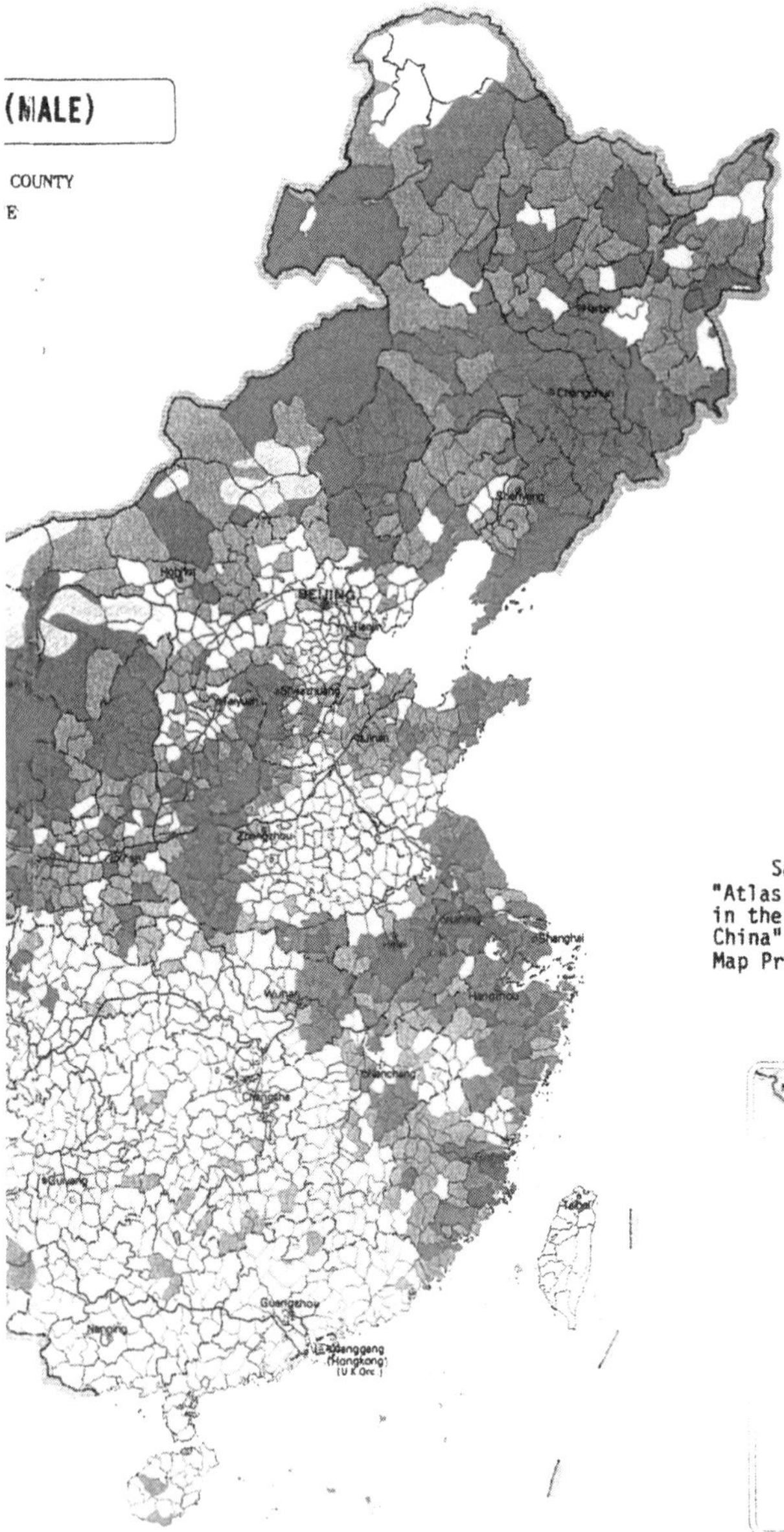

Sample map taken from "Atlas of Cancer Mortality in the Peoples Republic of China", published by China Map Press.

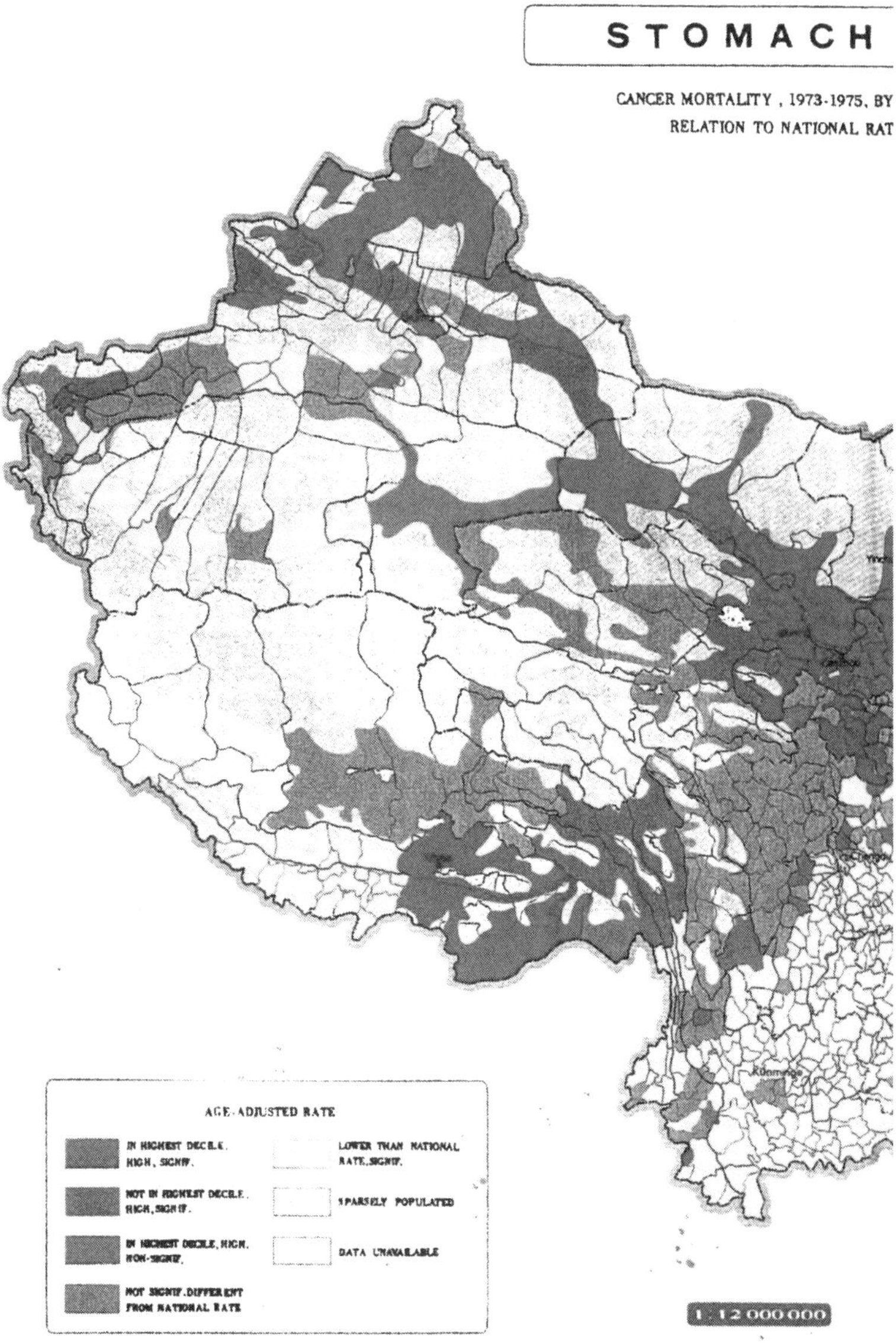

（出典T・コリン・キャンベル、トーマス・M・キャンベル、松田麻美子訳
『チャイナスタディー〈合本版〉』グスコー出版／１６８ページ）

◆ガンの遺伝子異常説について改めて考える

人体の最小単位は細胞です。

その細胞の核には染色体があり、ＤＮＡ（デオキシリボ核酸）という形で、遺伝情報が書き込まれています。

遺伝情報が発現するには、ＤＮＡの情報がＲＮＡにコピー（転写）され、タンパク質に合成（翻訳）されるプロセスが必要です。

これが正常に行われれば、細胞は遺伝子のプログラムどおりになります。

ガンの遺伝子研究では、ＤＮＡに傷がついて「突然変異」が起こったり、転写や翻訳の途中でミスが起こったり異常が発生すると、制御を失って勝手に増殖・転移する「ガン細胞」が生まれると考えられてきました。

そして、ガン細胞は他の細胞や組織に浸潤してダメージを与えるので、「**悪性腫瘍**」

と言われてきたのです。この認識がそもそもの間違いの始まりでした。

ガンができる一連のプロセスを、二段階で説明する「二段階説」というものがあります。

【ガンの二段階説】

▼第一段階

ウィルス、活性酸素、放射線、紫外線、たばこなどの「イニシエーター（発がん因子）」が細胞核にある遺伝子を傷つけ、突然変異を起こす。

▼第二段階

突然変異した細胞を脂肪や食塩、ホルモン、化学物質などの「プロモーター（ガン促進因子）」が、際限なく増殖・転移するガン細胞へと変化させ、「ガン化」が完成する。

もちろん、微小なガンが発生しても、免疫によって排除されたり、ガン抑制遺伝子によって抑え込まれたりすれば、ガン化のプロセスは止まります。そのため最近では、遺伝子異常はもう少し時間と段階を経て起こるという**「多段階発ガン説」**に変わってきていました。

遺伝子異常説はこのように、タバコや放射線、活性酸素などを発ガン因子と考え、脂肪、食塩、化学物質など食生活の内容もガン促進因子として見ています。

ただし、それらの因子によって生じた「遺伝子異常が、ガンという病を不可逆なもの（もとに戻せない状態）にする」と見なしている点に、課題が含まれていると思います。

「一度、遺伝子の異常でガン細胞ができたら、制御不能に増殖し、転移してしまう。もはや元に戻せないので、ガン細胞は切除するほかない」というイメージが蔓延してしまっているところに大きな問題があるのです。

臨床医や患者、臨床現場で、「手術」「抗ガン剤」「放射線」の標準治療が主流となってしまっているのは、コントロール不能になった増殖・転移するガン細胞を早く取り除くか、殺さなければ命にかかわる、という腫瘍縮小効果にしか関心のない考えからです。

日本では、２人に１人がガンに罹患し、３人に１人がガンで亡くなっているという状況なので、なおさらガンを「元に戻せない遺伝子の病気」のように誤解しているのでしょう。

しかし、その認識を変えて欲しいのです。

ガンは遺伝しません。家族の食生活傾向が似てしまうことにより、遺伝するように見えてしまうだけなのです。

ガンを恐ろしい遺伝病のようなものと捉えるのを、一旦留保してほしいと心から思います。

実験や臨床で明らかになった事実をきちんとふまえ、ガンの原因を客観的に再検討するとともに、冷静にガンの正体を捉えていくことが大切なのではないか、と心から考えています。

◆ガン細胞が正常に戻るプロセスでミトコンドリアが復活

もう20年以上も前のことですが、和漢薬のシンポジウムにおいて金沢大学の小田島粛夫教授が、「モーリス肝がん培養細胞に朝鮮人参のサポニンを20マイクログラム投与する前と後」の顕微鏡写真を示されたことがあります。

写真①は、肝ガン培養細胞にサポニンを投与する前、写真②が投与した後です。

投与前には、培養液の中で凝集したガン細胞が（写真①）、大きく一つ一つはっきりした正常細胞に再分化しているのがわかります（写真②）。

この写真は、**ガン細胞が正常細胞に戻る**ことをはっきりと示しています。

そして、さらに注目すべきことには、サポニンを投与する前には肝ガン細胞内のミトコンドリアが小さく萎縮していたものが（写真③）、投与後にはミトコンドリアが大きく成熟化しているのが見て取れることです（写真④）。この写真もまた、ガン細胞が正常細胞に戻ったことを、はっきりと示しています。

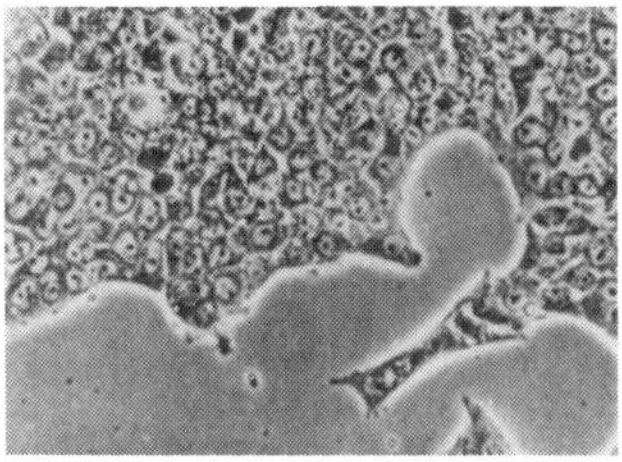

写真①

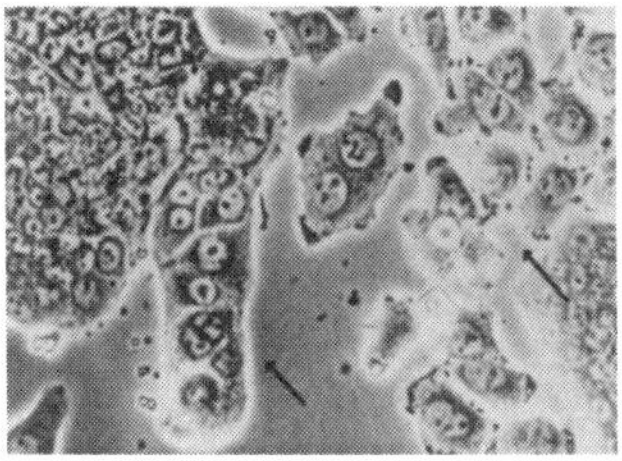

写真②

ミトコンドリアは、細胞内で酸素呼吸を専門で担っている細胞内小器官です。

サポニンを投与したことで、正常細胞に再分化した後では、酸素呼吸ができる状態になったのだ、ということがわかります。

また、細胞核ではなく細胞質内のミトコンドリアの状態が、ガン細胞化するか否かを分けることが明らかになっています。

そのことをふまえて、この写真に基づくと、ミトコンドリアの状態、さらに言えば酸素呼吸ができないかどうかが、ガン細胞化と深い関係があることが推測できます。

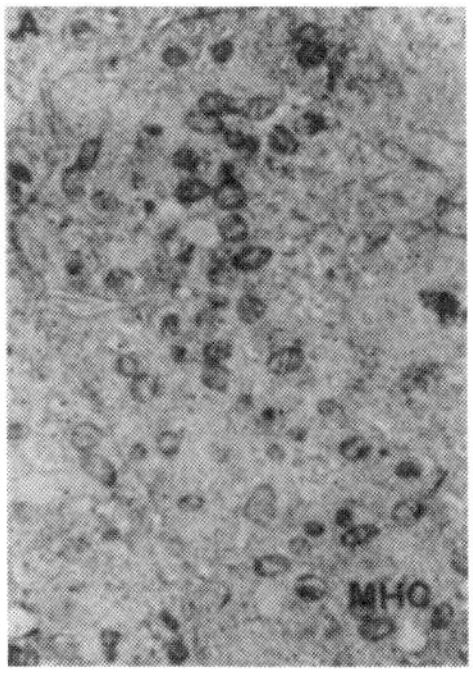

写真③

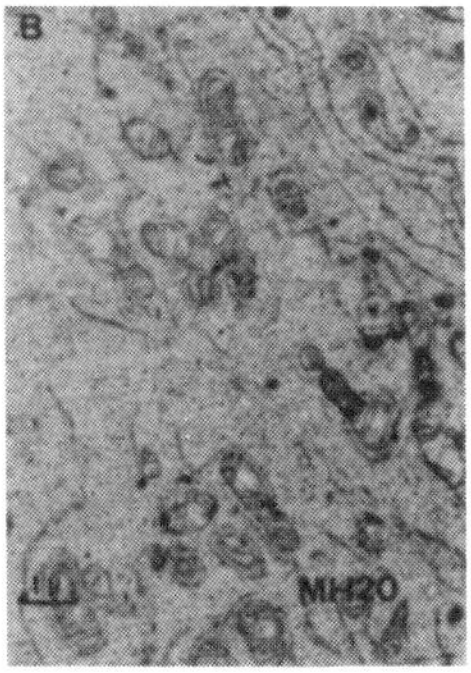

写真④

◆動物性高たんぱくの食事は、ガンの促進要因に！

日本では、現在プロテインなどを中心に、高タンパクの栄養素を摂取することを促進する傾向にあります。

病医院などでも「**良質なたんぱく質をたくさんとりましょう**」**などと指導しているケースが多いと思いますが、これが大きな間違いであることが明白**です。

日本のガン医学は「発ガン物質」という考え方が中心でした。

しかし、ガン病巣に関してはたんぱく量が重要で、その量的な影響は極めて重要で明確です。

次ページ【図1】のグラフを見てください。

たんぱく質の量は、10％が適正であり、5％では病巣を強く抑制します。

20％になると、病巣を15倍以上に増加させます。

また、10％を超えると、老化物質（ＡＧＥ）も増加してしまいます。

異なった食事タンパク質量による病巣成長の促進状況

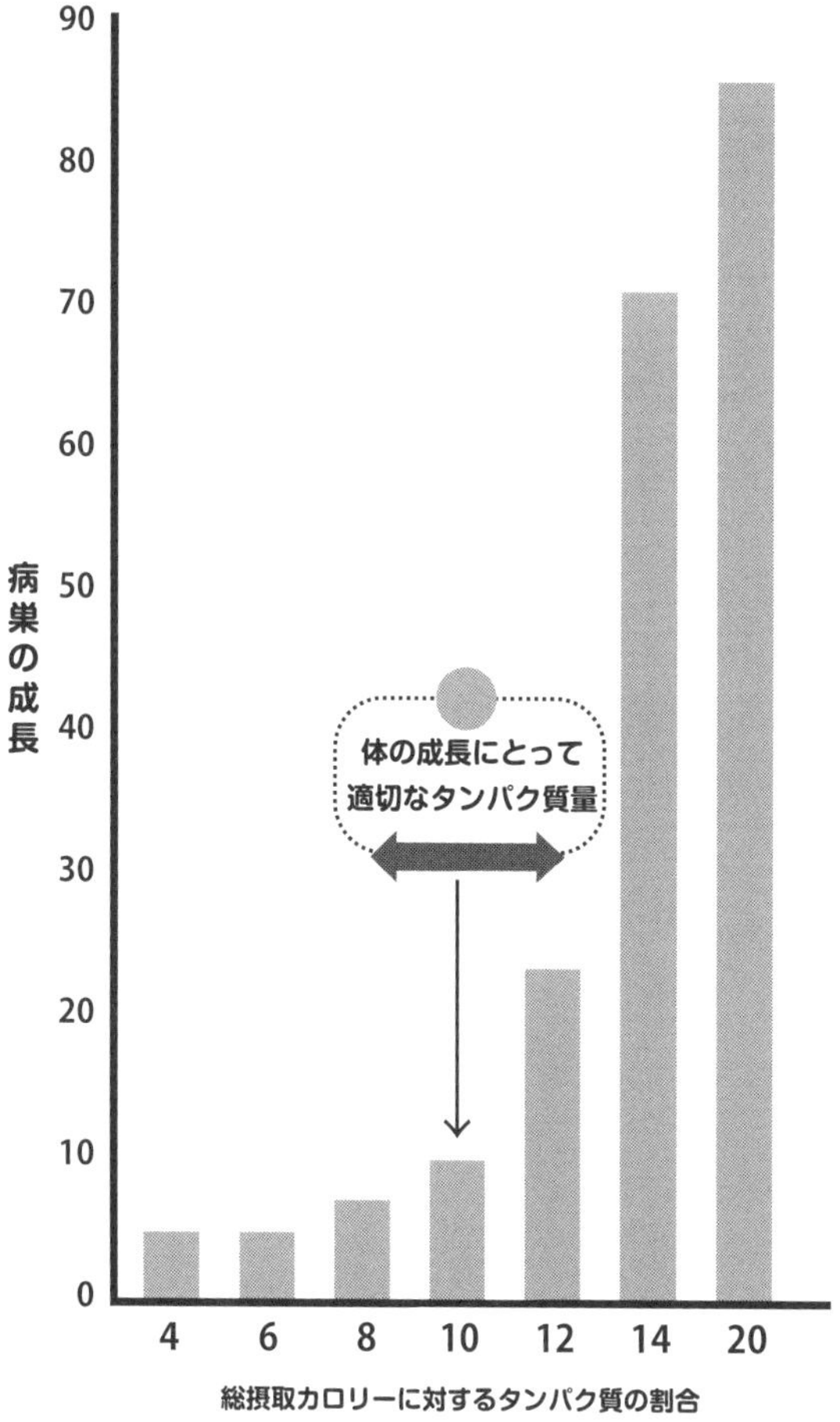

また、コーネル大学のコリン・キャンベル教授は、食生活とガンの関係を研究し、マウスによる実験でアミノ酸スコアが高い食事、つまり肉や魚、乳製品などの割合が高い高たんぱくの食事が、発ガンや、ガンの成長に決定的な要因となることを発見しています。

【図１】食事たんぱく質が肝臓の酵素活動に与える影響

たんぱく質の摂取量20％の食事から５％の食事にすると、発ガン物質（アフラトキシン）が、肝臓の酵素（混合機能オキシターゼ）の活動によって、危険物質に変換される割合が、大幅に低下したことを示しています。

【図 1】食事タンパク質量が肝臓の酵素活動に与える影響

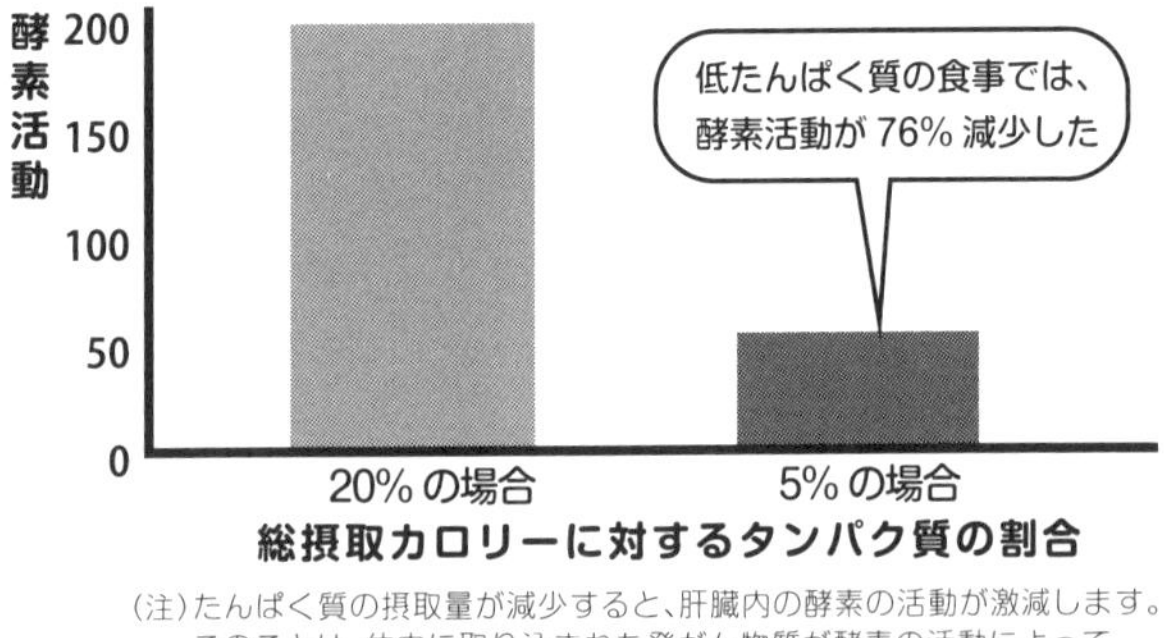

（注）たんぱく質の摂取量が減少すると、肝臓内の酵素の活動が激減します。
このことは、体内に取り込まれた発がん物質が酵素の活動によって
危険物質に転換される割合も減少することを意味しています。

※縦軸の単位が無記入なのは、原書に基づいたためです！（同様）

【図2】食事たんぱく質と病巣の形成状況

ガン病巣の形成に、たんぱく質の量が大きく影響していることが、このグラフからわかります。

たんぱく質の摂取量を5％に抑えることでガン病巣の形成を抑制することができます

【図3】発ガン物質の投与量と、タンパク質摂取量の関係

高発ガン物質と低たんぱく質の組み合わせのグループ」は5個くらいのガン病巣を作り、「低発ガン物質と高タンパク質の組み合わせ」が、90個くらいのガン病巣をつくることがわかります。

発ガン性物質よりも高たんぱく質の摂取をした

【図2】食事タンパク質と病巣の形成状況

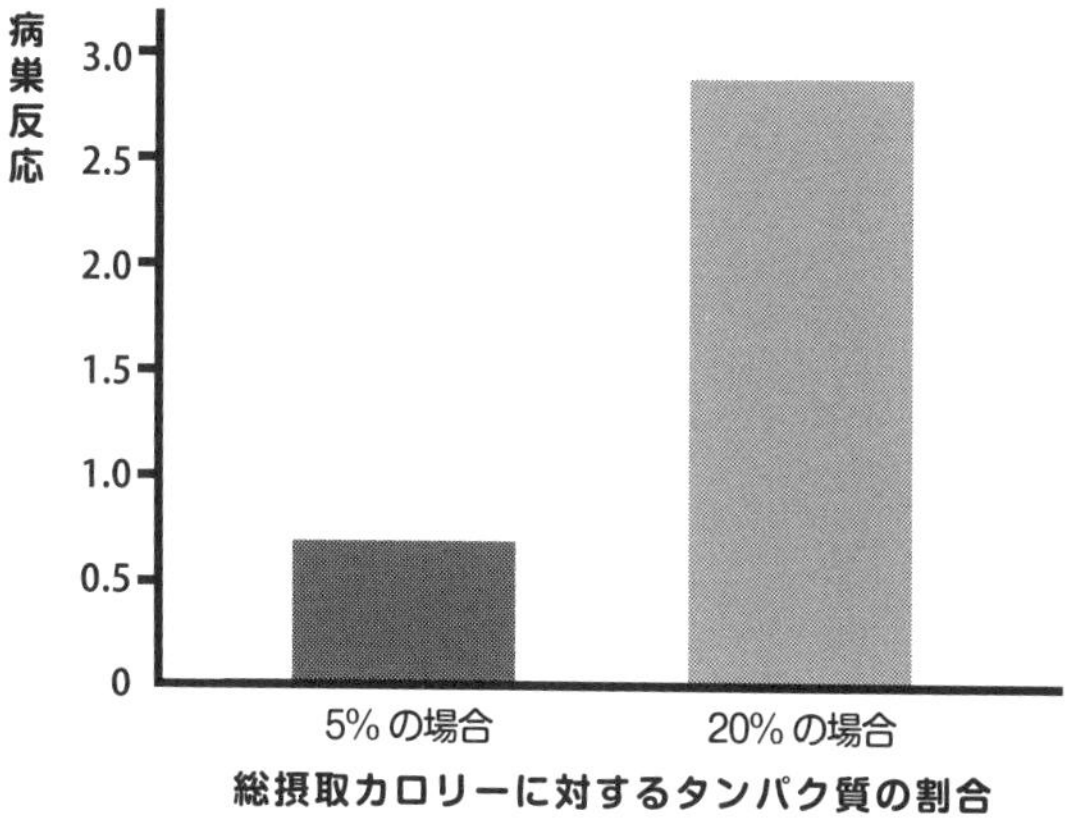

方が、18倍も病巣が増加することになります。

キャンベル教授は、**発ガン物質が体内に入ったとしても、動物性の高たんぱく（肉や魚や乳製品）の摂取が少なく、植物性で低たんぱくの食事であれば、発ガンや病巣の形成を抑えられる**ことを明らかにしているのです。

また、発ガン物質のカクテルとも言えるタバコが減少してもなお、肺がんが増加している現実は、日本人がタンパク質の摂取量を増加させてしまっていることが理由として大きいのです。

【図4】発ガン物質（アフラトキシン）投与量と病巣反応の関係

【図3】発がん物質の投与量 VS たんぱく質摂取量

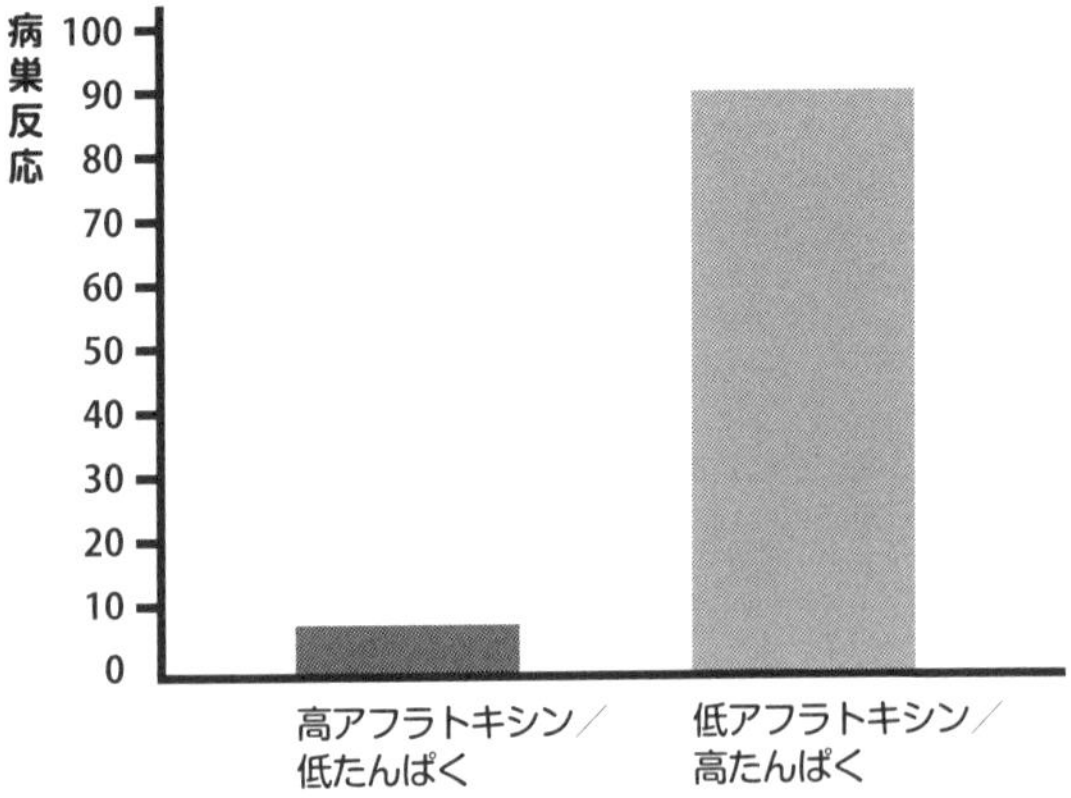

改めて発ガン物質とたんぱく質の組み合わせを明確化するための実験をネズミで行ってみました。

発ガン物質と5％のたんぱく質の組み合わせでは、ほとんど病巣は増加しませんでした。

ところが、発ガン物質と20％の高たんぱく質の組み合わせで、2倍から10倍くらいに増加しました。

たんぱく質の摂取量が、ガンの発生に大きく影響していることがわかります。

【図4】発がん物質の投与量 VS たんぱく質摂取量

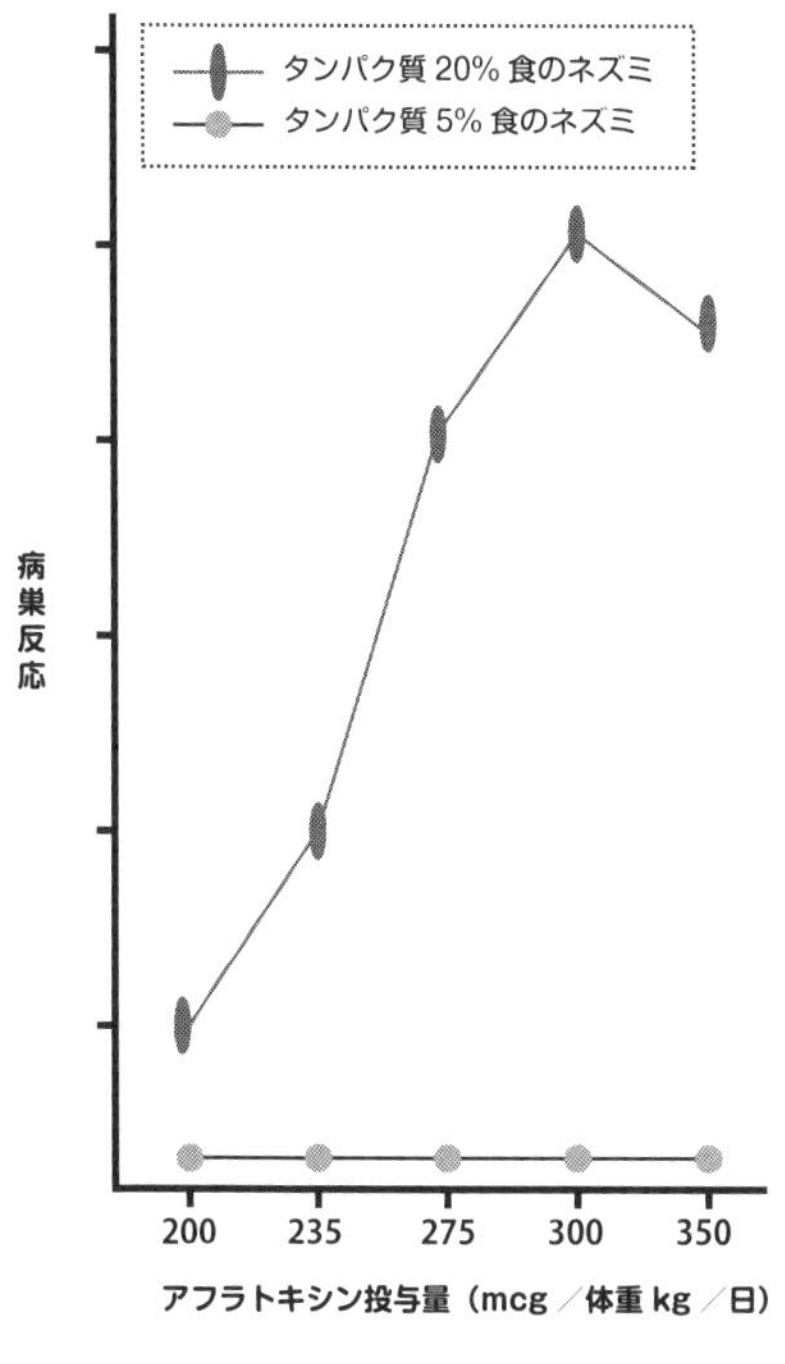

◆帯状疱疹ウイルスとガンの発症には関係がある

帯状疱疹は、誰でも聞いたことのある病名だと思います。

免疫力の低下によって発症すると言われていますが、帯状疱疹はあくまでも皮膚科的症状のひとつだと思われています。

実は、この帯状疱疹は、単に皮膚の病気として片付けることのできない側面を持っているのです。

数多くのガン患者を診察している中で気がついたのが、帯状疱疹ウィルスとガンの相関関係です。ガンが発症してくると、ほぼ全てのケースで、帯状疱疹ウィルスが増えてきます。

帯状疱疹ウィルスは免疫力とビタミンAが下がって活性化してくるので、ガンの発症と密接な関係があります。

逆を言えば、**帯状疱疹にかかった人はガンが発症する可能性が高い**とも言えます。皮膚病だからと油断しないで、しっかりと専門医の治療を受ける共に、医師が臓器別にバラバラの医療を展開していますので、患者さんが主張しないと医師は気付けません。内科に行って帯状疱疹のＩｇＧ抗体の検査を受ける必要があります。

また、皮膚科的な帯状疱疹に対しては、抗ウイルス薬であるアシクロビルや、バラシクロビルが有効ですが、ガン患者に潜在感染するヘルペスには全く効果がありません。ガンの場合、免疫異常ですからイベルメクチンや高濃度ビタミンＣが効きます。

しかし、日本の医療の現場では、皮膚病としての認識が強いため、ガン治療と帯状疱疹ウィルスを結びつけて考えてくれる医師は非常に少ないと言えます。

さらに、日本の医療保険制度では、ガンの治療にこれらの抗ウィルス薬を使用するとはできません。

統合医療的な観点が不足している日本では、仕方がないことかもしれません。

◆現代医療の「常識」にだまされてはいけない

現在の医療界では、ガンの定義が曖昧な状況が続いています。ガンの専門医も外科医が多いことから、**「ガンは腫瘍塊」**という認識から大きく変われていないのが現状です。

「腫瘍塊」であるガンは、ガンのケースの中で半分にも満たない、ということを理解する必要があります。

- **「スキルス」とか「未分化ガン」や「肉腫」は、病理学的には悪性の顔をしていないことも多いので判断しにくい**
- **「CT」では、腫瘍塊が1センチメートル以上にならないと映りにくい**
- **「PET検査」では、糖の取り込みだけの検査しかできない**

　このような検査ばかりしていても、ガンの本質を見抜くことはできません。ガンは「グルタミン」と「糖」「アミノ酸」を取り込むので、糖の取り込みだけでは、ガンを検出できない場合も多いのです。すい臓ガンなどは、直径が3センチメートルになっても、画像診断で分かりにくいケースがあります。

　みなさんが会社などで行っている**一般の健康診断には、ガンの検査をするような内容はほとんどありません。**

　その理由は、厚労省の中で、旧厚生省と旧労働省の縄張り争いが放置されているからです。

　また、がんドックでは臓器別のガンにしか、医師の関心がないことがほとんどです。そういう検査しか行われていないのが現実です。

　全てにおいて、胃カメラで調べても胃ガンは見られませんでしたから後は知りませんというレベルの時代遅れの検査なのです。

現在の日本人が受けている検査は、実に効率の悪い検査です。

この状況が、日本でガンに罹る人が増大して、ガンで死ぬ人が増加する原因の1つだと考えています。

45年前には、日本国内のガン患者は「胃ガン」がほとんどで、「胃ガン死」だけの時代だったと言ってもいいでしょう。

その頃、東京大学の三木一正先生により、胃カメラや胃透視検査よりも3倍近く精度が高く、コストも三分の一以下に抑えることができる「**ペプシノーゲン検査（serum biopsy）**」が発表されました。

ペプシノーゲン研究会に参加の医師200人が、厚生省に保険を認めるように申請をしました。しかし、当時の厚生省はそれを認めなかったのです。

厚生省は、利権確保のために、問題のある**バリウム造影剤を用いた胃透視検査**を推進してきました。

その次に、**内視鏡検査**が出てきました。

しかし、**この2本立てで画像診断を推進**してきましたが、現実的に胃ガンの罹患を減少できていません。

胃透視の検査で調べるのは、胃の内壁に腫瘍があるか、潰瘍があるかの場合には役立ちますが、スキルスやリンパ腫やＧＩＳＴ（ジスト／粘膜層の下にある筋肉層の細胞から発生する肉腫の一種）のようなものは検出できません。

バリウムを用いる検査の為に便秘になったりなど、トラブルがしばしば生じるだけでなく、この検査は被爆量がＣＴと同等クラスの被爆量になりますので、この検査を10回行えば、ガンに罹る率が2倍に上がる可能性があります。

現に、胃透視をやめた自治体で、胃ガン死が減少したという報告もあります。

人の生命に関する検査だというのに、このような状況でいいのでしょうか？

わたしは、「**TMCA検査（腫瘍マーカー総合検診）**」をお薦めしています。

TMCA検査は、血液と尿を採取するだけでできる検査ですが、非常に精度が高い検査です。

第2章では、この「**TMCA検査（腫瘍マーカー総合検診）**」について、詳しく解説していきます。

第❷章　ＴＭＣＡ検査は、ガンの予知予防に最適な検査法

◆ガンは予知・予防できる。正しい手順で適切な対応を！

ガンは確実に予知・予防できます。

二人に一人がガンに罹るのが当たり前の時代だなんて。厚労省の嘘説を信じないでください。正しく検査し、きちんとした手順で対応していけば、ガン細胞は正常細胞に戻すことができます。

基本的には、次のような手順で対応していくのがいいと思います。

（1）全身のガンの危険度を調べる

↓

（2）危険度が高い場合、それがどこなのか患部を調べる

↓

（3）ガンの場所が推定できれば、ＰＥＴ・ＣＴ・ＭＲＩなどの画像診断をする

ガンの場所や状態が特定できれば、従来の標準治療などを行ってもいいでしょう。ガンの場所が不明だとしても、共通の予防方法は整理されているので、「対処」および「ガンの危険度を下げる」ことができます。

ガンが発生するまで待っている、というような流れを変える必要があります。

早期発見・早期手術が一番というのは、言い換えれば、「ガンが画像診断で見つかるまで待ちましょう」という150年前のウィルヒョウ説のなごりです。

毎回、被曝と言っても過言ではないほどの放射線を浴びるような画像診断をして、ガンが出てくるのを、ひたすら待つということでもあります。

毎回CTなどを行えば……例えば、10回ほどCTによる検査を行うと、ガンにかかる率が2倍に上がります。

その点を無視してはいけません。

「ガンは予防できない」という固定概念にとらわれているから気にならなくなっているだけです。

現実に、ガンの予知・予防はできます！

この早期発見・早期手術をという「ガンの第二次予防法」は、50年余り実施して、全く効果が出ていないことは明瞭であるにもかかわらず、この愚かしい方策を信じていることが問題です。

また、厚労省は、国民の検診率が上がらないことが、ガンが減らない理由だと国民の側に責任転嫁をして誤魔化しているのです。

ガンにかかる確率が、20万人から100万人まで、増加しても、放置しているのは、厚労省の未必の故意なのです。

米国でガン死を減少させることはできないと40年以上前に証明された手法を今だに呼びかけています。

日本ではどこでも、「ガンが出てくるのを待つガン検診」が行われています。

しかし、ガンの予知・予防は確実にできるのです。

私の開発したTMCA検査でも実施して来ましたし、ジョンズ・ホプキンズ（JHU）大学関係が開発した方法（CancerSEEK）でも可能です。

ガンに罹らないための食事療法やガン予防が世の中に数多く出回っていますが、それに私のＴＭＣＡ検査を加えれば万全になります。

医療業界の内部では、悪質な利権争いが延々と続いています。

その流れを変えない限り、間違いの連鎖は続くのです。

ＴＭＣＡ検査は、全身のガンを検査できる上に、コストも画像診断の自費の値段と比較すれば安価な検査（現在は、約９万円）です。

例えば、頭のガン・胸部のガン検査・腹部のガンなどと臓器別にガンを検査すれば、６ケ月の期間が必要であり、金額も２３０万円ほど必要です。しかも、画像診断を受ければ受けるほど、莫大な放射線被曝を受けてしまいます。

ＣＴが1回、5～25ミリシーベルトですから、造影検査と合わせて10ケ所の検査をすることで、ガンにかかる確率が２倍に増加します。

つまり、従来通りの方法ではコストがかかる上に、臓器別に全身のガン検査をしていくことで、ガンのリスクがぐっと上がってしまうことになるのです。

私の開発した**ＴＭＣＡ検診を活用すれば、比較的簡単に「ガンにかかる人を減少させること」も、「ガンで死ぬ人を減少させること」もできる**のです。

◆ガンの正確な判断は、厚労省の認める腫瘍マーカーでは不可能

ガンを発見する一つの方法として「腫瘍マーカー」という方法がとられています。

しかし、いま医療の現場で使われている特異腫瘍マーカーでは、それだけを10種類選んで追いかけても、初期ガンの2〜3割しか検出できません。

そのために、他の場所で発生しているガンの状況などは関係なく、腫瘍マーカーが反応するガンが成長するまで、ただ待つだけになってしまうのです。

それでは、ガンの発生、および最初を防ぐことができません。

ガンの特異的腫瘍マーカーを調べる研究は、腫瘍マーカー研究会という形で行われていました。

しかし、人間全身のバランスで判断することができる統合医療の医学者ではなく、臓

器別を専門とする医学者たちが自分たちの特異分野での特異的腫瘍マーカーに限って行われていました。

そのために、腫瘍マーカー研究会は途中で挫折し、諦めてしまいました。

30年前に serum biopsy（血清検査による発見）を放棄してしまったのです。

腫瘍マーカーの研究は、今でも不十分な状態が続いています。

ガンに対する認識が間違っているから、精度の高い腫瘍マーカーができないのです。

しかし、私が開発した**ＴＭＣＡ検査（腫瘍マーカー総合診断法）**なら、ガンの発生を原発巣も含めて発見することができますし、ガン細胞発生の初期段階から予知することができるので、確実に早期治療ができます。

私が免疫学に精通し、ジェネラリスト（総合診療医）として経験を積んでいたからこそ、発見できた方法だと言えます。

ガン組織は新生物として、以下の３種類で構成されています。

【ガンを構成する3つの要素】

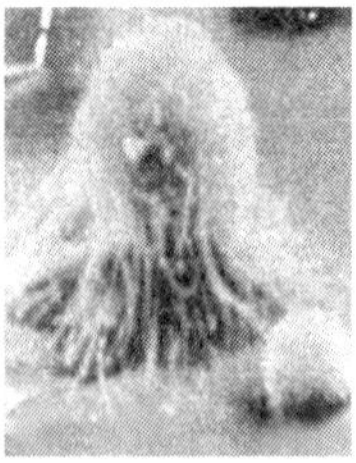

①ガン細胞

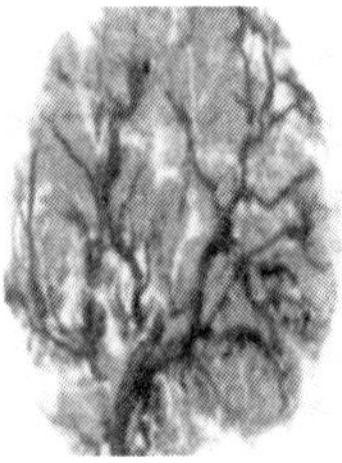

②胎盤の血管

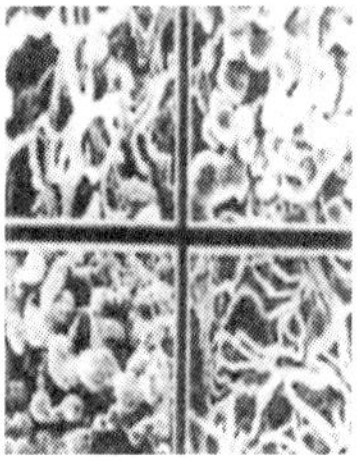

③ガン血管

これは、**新生児が生まれる際に発生する要素と同じ**です。

ガン組織は（新生物）は胎児と同じように構成され成長します。

（胎児は「胎児・胎盤・絨毛血管」で構成され成長）

そのため、子宮ガンの患者などでは、妊娠のように見えてしまい、ガンの発生を見落としていることがあります

この病理学的概念に従い、新生物として生物学的にフォローするために、それぞれから出る3種類の腫瘍マーカーを組み合わせることにより、ガン細胞の一生をがんの自然史に沿って生物的に分類をするという方法に成功したのです。

3つの腫瘍マーカーの組み合わせで精度の高いガンの発生を発見できる
【ＴＭＣＡ検査（腫瘍マーカー総合診断法）】

「ガン細胞」から出る特異的腫瘍マーカー
（Specific Tumor Marker／S-TM）

「ガン間質」から出る関連マーカー
（Associated Tumor Maker／A-TM）

「ガン血管」から出る増殖マーカー
（Growth-related Tumor Marker／G-TM）

◆TMCA検査（腫瘍マーカー総合診断法）で確実にガンを発見

私自身が考案したTMCA検査（腫瘍マーカー総合診断法）を用いて、ガンの予知・予防と、再発予防を実践しているので、紹介します。

この検査方法を世界の医師が行えば、世界中からがんを無くすことも夢ではないと確信していますが、現在のところは私の関わっている病院でしか行えない検査ですが、従来の画像診断もこの検査を採用すれば誤診が確実に防げます。

この検査で必要なものは以下の2点だけ。

①採血 20ml　②採尿 10ml

たったこれだけの採取で、ガン判定の正診率は画像診断の100倍です。

この検査法は、米国第40代大統領夫人であるナンシー・レーガン夫人の仲立ちにより、1086年〜1988年にNCI（米国国立癌研究所）とメイヨークリニック（全米ナンバーワン病院）とのダブルブラインド試験が行われ、多変量解析により、その結果が証明されました。

ガンの成長過程と
腫瘍マーカー総合解析法の５段階評価

縮小ガン　→　臨床ガンまでに **９年**かかる。

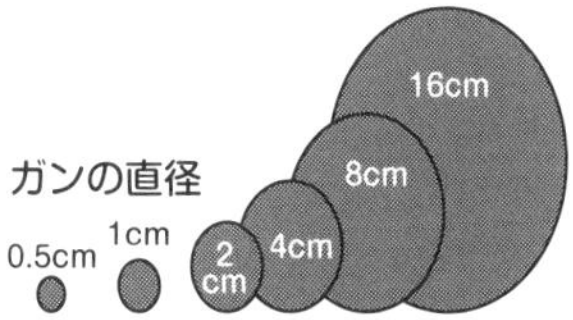

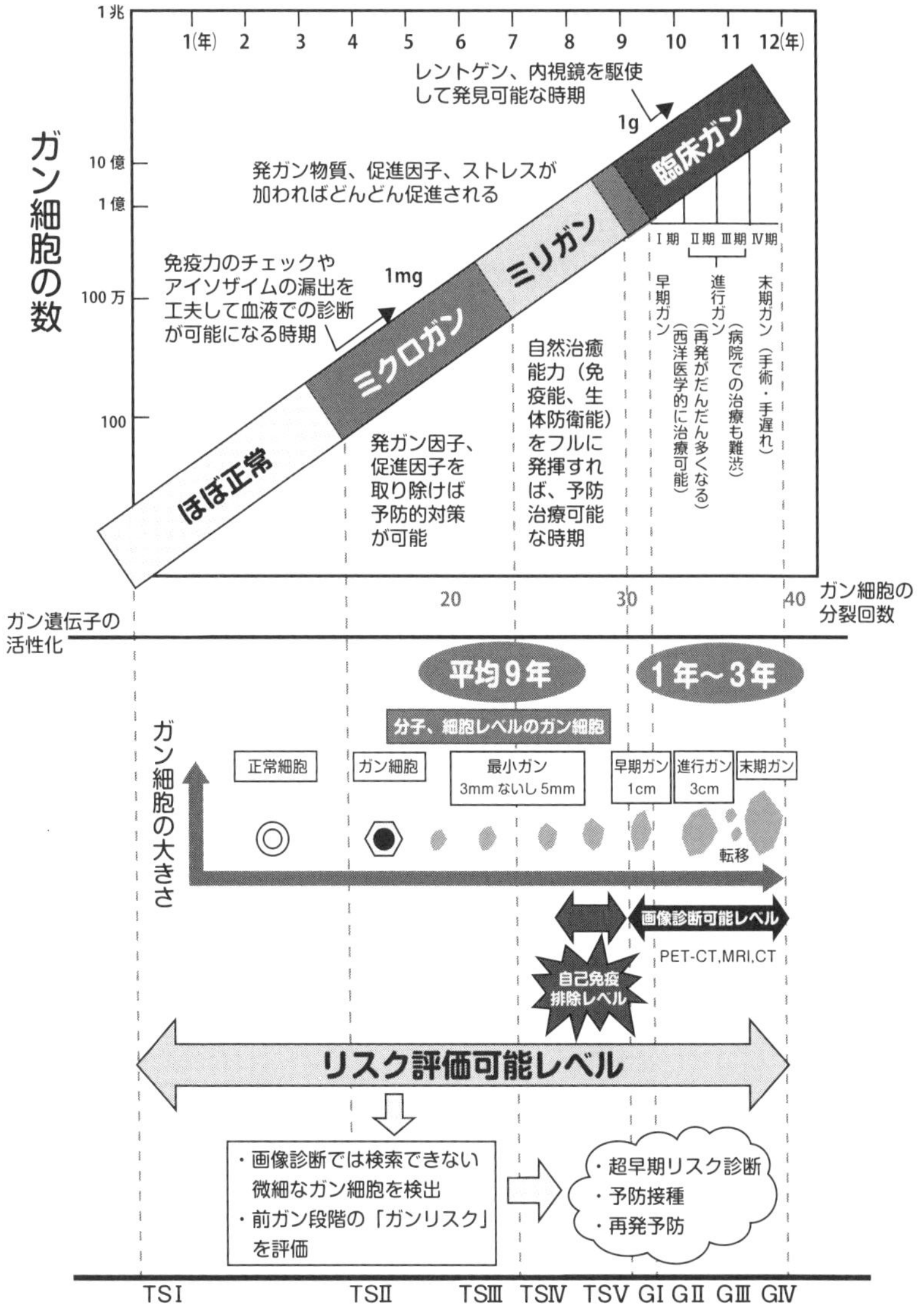

◆複合腫瘍マーカーによる生物・生化学的検査だから、ガンができる前からその経過と理由まで発見できる

私は27年前に『tumor marker combination ― assay：ＴＭＣＡ検査』という記事を、専門雑誌『Cancer』に発表（１９９４）して、**高い評価**を得ました。

しかし、日本ではいくつかの大手新聞社の部長が取材に来ましたが、さまざまな利害関係からその報道が邪魔され、日本国内にＴＭＣＡ検査が紹介されることはありませんでした。

また、２００２年には、日本の週刊誌で4回も捏造記事を掲載され、当時は巣鴨にあった私の病院が潰されてしまいました。

27年前に、すでにアメリカで高い評価をされているこの手法が、なぜか日本では無視され妨害されているのが現実です。

１０３ページの図を見ていただければわかるように、１個のガン細胞ができてから、１センチメートルのガン組織に育つには、**「precancerous situation（前ガン状態の期間）」が、９年間もある**のです。

その**precancerous situation の時期に然るべき治療対応を行うことができれば、実に簡単にガンの予知・予防ができます。**

◆ガンの一生のリスク分類

【ＴＳⅠ】

５年間で、ガンの発生率は「**０％**」。

【ＴＳⅡ】

５年間で、ガンの発生率は「**０・４％**」。

10％程度の人が、この分類に入ります

【TSⅢ】

5年間で、ガンの発生率は「**0・7%**」。

60%程度の人が、この分類に入ります。

ここまでが、通常の健康と考えている人たちです。

【TSⅣ】

ガンに罹患する寸前の状態になっている人です。

5年間で、ガンの発生率は「**3・0%**」。

10〜20%くらいの人がこの分類に入ります。

【TSⅤ】

5年間で、ガンの発生率は「**30%**」。

「1グラム以上のガンが存在する」と考えられる人です。

特異的腫瘍マーカーを使ったり、PET検査をして、患部臓器の場所を調べて計画的に予防対策をしていく必要があります。
５％くらいの人が、この分類に入ります。

『ＧⅠ～ＧⅣ』は、一般的に言われている表現で言えば「Ⅰ期～Ⅳ期」と同じ意味です。
すでに、ガンに罹患してしまった状態です。

私は、さらに工夫をして、複合腫瘍マーカーを追加しました。

そして、sensitivity（85～90％）、specificity（85～90％）を達成して、画像診断よりも１００倍高い正診性が得られるようになったのです（２０１８：Cancer medicine)。

がん保険も、画像診断で結果が出ないと保険で受理されません。

血液と尿を採取する検査の方が、はるかに効率的で身体への害も少ないというのに。

◆ガンをいかに早期に発見できるか……

生活習慣病の代表とも言える「ガン」という病気は、早期に発見できるかどうかが大きなポイントになりますが、そのためには**TMCA検査**が最適です。

TMCA検査は、以下のような人に向いています。

（1）生涯ガンになりたくない方（予知・予防目的の人）

（2）ガン再発防止目的の人

（3）治療判定したい方（現在の治療に迷っている人）

生体内の「ガン細胞」「ガン間質」「ガン血管」からのマーカーを検出・解析することで、腫瘍問わず良性なのか、悪性なのか、偽陽性、悪性度（顔付き）、腫瘍増殖度（勢い）、自身の身体が腫瘍に対してその程度治す力があるか否かなどを判断することができます。

一般的な腫瘍マーカー検査では、特定のがん細胞にのみにしか反応しないので、それではガンを早期に発見できるとは言えません。そこで反応が出てくる頃には、ガン細胞はかなり増えてしまい塊になってしまっている可能性が高いです。

現在まで、２万５０００人の人々に対して、ガンの予知・予防のためのＴＭＣＡ検査を実施してきました。

私が考案したＴＭＣＡ検査であれば、**「臨床ガン」から「理想的健康状態」まで５段階で総合的に危険度分類し、適切な改善法を指南することができます。**

また、免疫力やガンの原因を究明することで、自身に的確な治療法や治療判定を行うことができます。

国立がんセンターでも、このような検査を行うことはできません。

間違ったガン治療に取り憑かれて、正しくガンに立ち向かう姿勢を見失っているのです。

◆ＴＭＣＡ検査は、きちんとした実験で実証されている

私はＴＭＣＡ検査の精度を証明するために、３年間の調査を行いました。２つのプロジェクトを実施しました。

第1のプロジェクトでは、「一般の検診者・手術後の患者の１０００人」の中から「**Tumor Marker Combination Assay（TMCA）法**」で、高危険度群（ＴＳⅣとＴＳⅤ）、１５８名を選択して、ガンの予知・予防を実施しました。

食事改善（グルタミン制限食とケトン食）、解毒療法と漢方薬（癌細胞の酸素呼吸を抑制する特殊漢方：ＳＡ処方）の介入を3年間行ったところ、コントロール群（対策なし）のガン化は7・4%でしたが、比較対象群では**46・9%のガン化**でした。介入した結果、危険度を減少させることに成功しました。

この結果から、ガンの予知・予防が十分できることを証明しました。

次ページのグラフは、ガンの予知・予防からの連携による、再発防止効果を証明したデータです。

第2のプロジェクトでは、「手術後の患者 ５００名」の中から、ＴＭＣＡ法で高危険度群１３１名を選んで、再発予防のプロジェクトを実施しました。

第1のプロジェクトと同様に、食事改善（グルタミン制限食とケトン食）、解毒療法と漢方薬（癌細胞の酸素呼吸を抑制する特殊漢方：ＳＡ処方）の介入を3年間行ったところ、**7・7％のガン再発**でしたが、コントロール群（対策なし）では、**55・5％のガン再発**となりました。

ここでも、ガンの予知・予防が十分できることを証明しました。

２０１８年に、ガン化のリスク因子が判明しました。

第 1 のプロジェクト

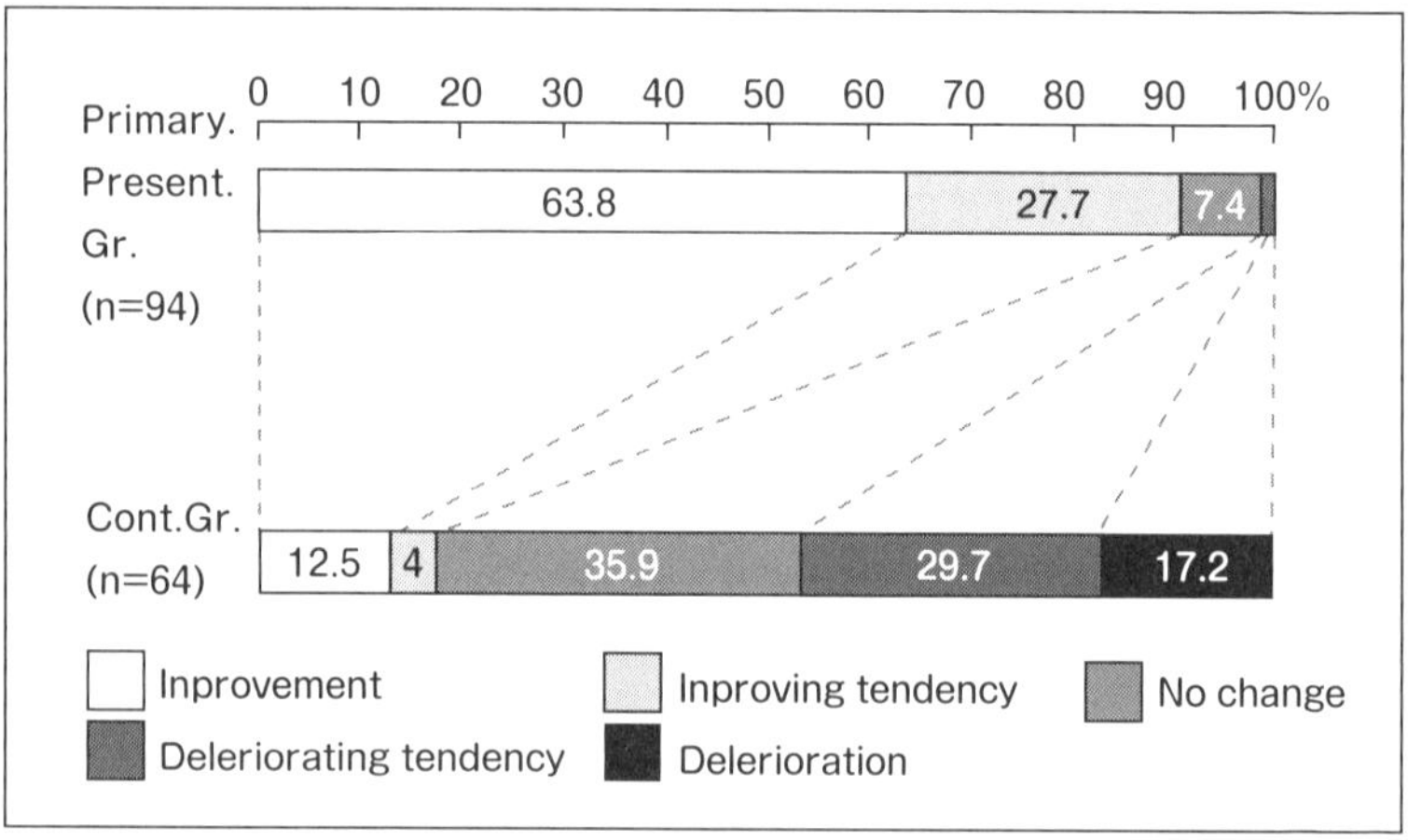

第 2 のプロジェクト

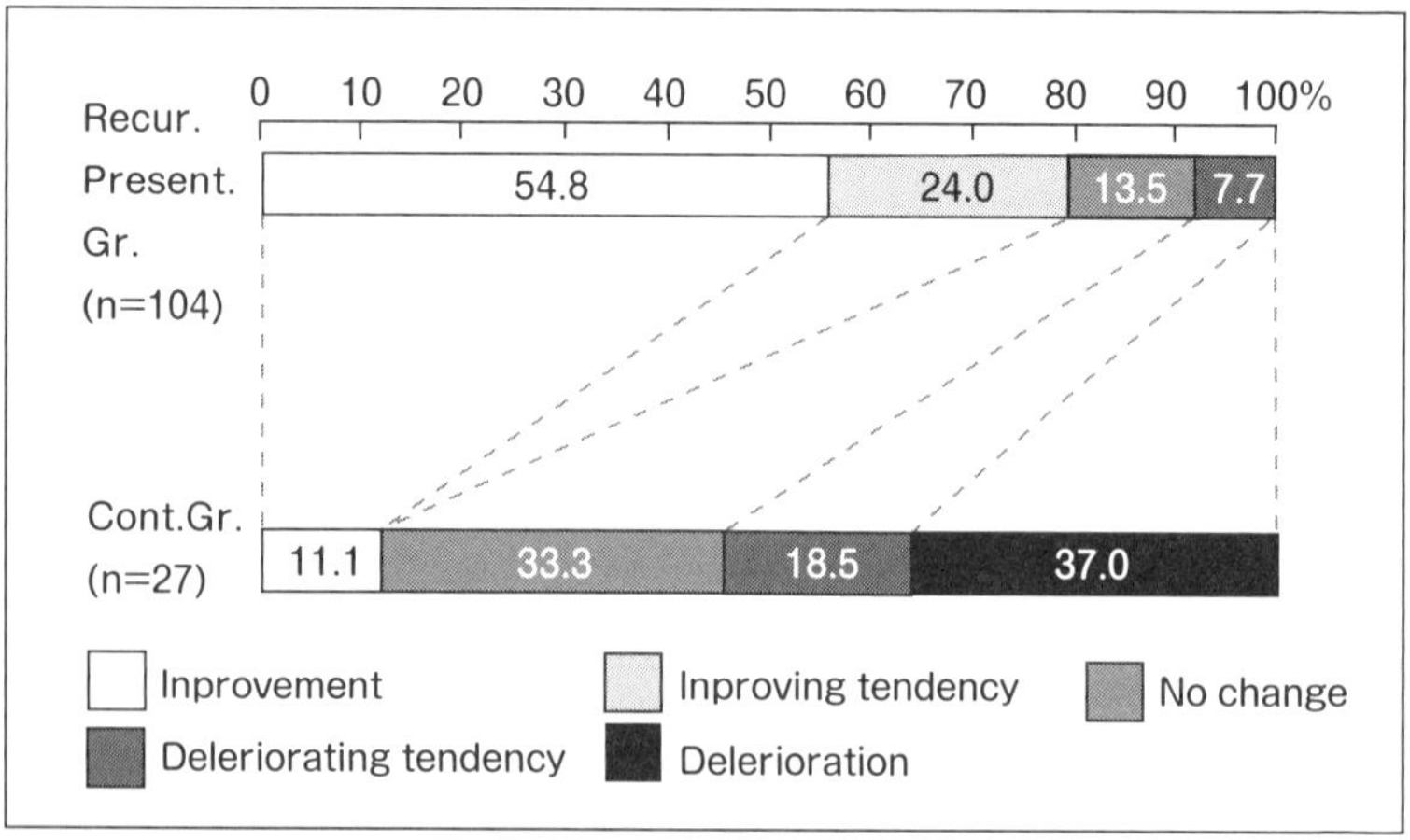

さらに現在では、**ガン化の危険因子として、低ビタミンＡ、低ビタミンＤ、および、低サイクリックＡＭＰが判明しています**ので、さらに、この癌化の危険因子の改善もはかれば、容易に成績をさらに上げることができると思います。

本来、１９８８年に米国のＮＣＩとメイヨークリニックの共同で追試をしてもらい、初期ガンに対する精度の高さを示して、米国の数社に採用してもらうはずでした。

初期ガンに対する感受性に対して「87・5％」という結果が出ているにもかかわらず、東芝のココム違反（ソ連に武器輸出）事件に巻き込まれて、米国中がJapan bashingになるということがありました。

ＴＭＣＡ検査の米国への進出は、そのとばっちりを受けて阻害されてしまいました。

しかし、その後に米国で私のＴＭＣＡ検査の認知が進み、２０１６年、米国の統合医療がん学会でＴＭＣＡ検診についての特別招待講演を行い、生涯賞を授与致しました。

２０１８年、米国においてＴＭＣＡ検診に関する論文が出たので、国際会議「Cancer Nursing Congress」から、「A Blood TMCA」云々は感銘深い論文であり、もし「Cancer Nursing Congress」で発表していただくことができれば、その叡智を紹介していただき、若い科学者の記念碑として講演をしてほしい」と言う依頼が来たので参加いたしました。

くどいようですが、**ＴＭＣＡ検査を普及することができれば従来の画像診断の誤診もほとんど防げる**ようになります。

そして、この検査が一般の病院でもできるようになれば、ガンで人が死ぬ時代は、ほぼ終焉を迎えます。

◆ガン危険度が高いと判断された場合の介入方法

ガン細胞は、ミトコンドリアが呼吸代謝異常を起こしてから、段階に応じて成長していきます。

ＴＭＣＡ検査では、**通常のガン検診では発見することができない段階から、ガンにかかる可能性を発見する**ことができます。

ＴＭＣＡ検査で『ＴＳＶ』以上の危険度の高いグループに属することが分かった場合には、医師のしっかりとした介入措置が必要です。

以下に、初期介入例をご紹介します。

【初期介入例】

ミトコンドリアが破壊されるような生活をやめて、**ＨＳＰ（ヒートショックプロテイン）を沢山つくるような生活に変える**必要があります。

生活としては低体温、酸素不足の条件下で「ガン」ができやすくなるので、温泉や風呂など活用して、**「冷え」を防ぐ生活をする**ことをお勧めします。

ＨＳＰは、免疫を上げるためにも、ミトコンドリアの再生のためにもなくてはならないものです。単純ですが、温熱療法は大切です。

（1）食事療法

・動物性たんぱくは５％以下に抑える

・グルタミンの少ない食品を選択してもらう

・糖分を取る時にはココナツオイルをかけて、ケトンに転換して食べる
・グルタミンの多い食事に酢をかけて食べる
・糖分の少ない食事をする
・味の素は使わない（米国では発ガン物質という分類に入っています）

（2）ジュースで断食する

通常の食事をやめて、一定期間、野菜ジュースのみの食事にする。

（3）特殊漢方（ＳＡ）の処方

ガン細胞の酸素呼吸を抑制させることができます。
正常細胞には、まったく影響はありません。

それでも改善が見られない場合には、以下の治療を行います。

【さらに積極的な医師介入の例】

（1）高濃度ビタミンC療法

米国のＮＣＩ（アメリカ国立がん研究所）も、ほとんどのガンに高濃度ビタミンＣが効くという報告を20年前にしています。

しかし、なぜか日本のがんセンターは、これを無視しています。

（2）解毒療法（西式健康法を現代的に再現したもの）

血中の毒素や免疫阻害物質を取り除き、血液を浄化させ、自然治癒力を高める東洋医学を取り入れた治療法です。

（３）分化誘導療法

「ソルコセリル」や「サイクリックＡＭＰ」や「ラエンネック」と「ビタミンＡ」と「高濃度ビタミンＣ療法」を組み合わせた治療で、ミトコンドリアを正常化させます。

（４）温熱療法

ガンの自然治癒能力は、温熱を与える際に一番高まるので、全身発熱療法が効果的。
身体に副作用がなく治療ができて、どこの転移でも治療ができます。
骨転移にも効きます。

◆（実例紹介）これが現在の医療界のガン治療の現実！

ここでは、私がガン治療で体験したり、聞いたりした実話を簡単にご紹介していきたいと思います。

▼気管支喘息だと思っていたら、肺ガンだったという誤診

ある60代の男性が、大きな病院の診察でハウスダストが原因の気管支喘息であるという診断を受けていました。しかし、状況の改善がなかなか見込めないということで相談にいらっしゃいました。

そこでＴＭＣＡ検査を受けていただいたところ、実は肺ガンであることが判明しました。

この男性は１日20本以上の喫煙習慣を40年間も続けていたということでした。

治療として、咳対策として、麦門冬場（漢方薬）を服用していただき、ビタミンが基準値より低いのでサプリメントでビタミンAをとっていただきました。そして、高濃度ビタミンAを注射する治療も行いました。

この方の検査値や健康状態は改善し、今でも元気に生活しております。

▼大腸ガンが手術で治癒できず、手術ではない方法で治癒した事例

私のところでTMCA検査を受けた結果、大腸ガンであることが判明した60代男性の患者さんが、治療では手術することを選択され、有名な大学病院手術を受けました。

その後、ガンがすべて切除されているか確かめたいと、再びTMCA検査を行いました。その結果、手術ではガンが切除しきれておらず、ガンが腹膜転移をしてしまっていることが判明しました。

そのため、点滴による分化誘導療法によりサイクリックＡＭＰを補給すると共に、サプリメント（ビタミンＡ・Ｄ）の投与と、高濃度ビタミンＣの注射を行う治療を行いました。

その結果、検査値が良くなりガンはすべて治癒し、元気に生活しています。

▼絨毛ガンで余命宣告されていた女性が、妊娠するまでに回復

ある30代前半の女性が絨毛《じゅうもう》ガンにかかり、その後それが肺に転移しました。

そのとき通院していた米国の大病院では、すでに余命宣告をされていた状況だったのですが、治療を行った結果、回復して妊娠して子供を授かることができました。

半年という余命宣告をされてからの妊娠は、世界で初めてです。

治療としては、全身および局所の温熱治療。高濃度ビタミンの点滴治療と独自に調合

している漢方薬の投薬を行ったのみでした。

この女性は現在70代になりますが、40年後の今でも元気に生活しています。

おそらく、大病院で見放された後に、私の病院で治療して30年後の生存者の数は、私のところが世界一でしょう。

▼脳転移の可能性を疑われていた口腔ガンの男性も完治

都内でも有数の大学病院で顎下腺ガン（舌とアゴの骨）だと診断され、すぐに手術をしないと脳転移してしまうと脅されていた40代男性の患者さんがいました。

しかし、ＴＭＣＡ検査を行ったところ、顎下腺ガンは確実であることが判明しました。

そこで、グルタミンの摂取を抑えることとケトン食を徹底していただくと共に、サプリメント（ビタミンＡ・Ｄ）の投与と、点滴による分化誘導療法により、サイクリックＡＭＰを補給する治療を行いました。半年後にデータも改善して手術の必要性もなくなり、ガンを治癒することができました。

▼胃透視検査で、ガンにかかる確率が増えてしまった父子

ある男性が、大病院で治療していながら胃ガンで死亡しました。

その息子は、胃ガンにはなりたくなかった為に、毎年1回ずつ……17年間も胃透視の検査のために福岡から上京していました。

しかし、17年目に胃のリンパ腫が脳に転移して死亡しました。

計算をすれば、約20回もバリウム検査をしたので、大雑把な計算をすれば「2×10」ですから、ガンにかかる率を4倍に上げてしまったのです。

しかもリンパ腫ということですから、放射線被爆で胃のリンパ節を刺激して、リンパ腫を誘発してしまった可能性があります。

本人の希望を無為にしてしまった、医療サイドの無知は大きいでしょう。

その大病院では、なぜ発見できなかったのかと、胃のバリウム造影レントゲン写真の検討会を行ったのですが、命は一つしかないのですから、結果が出せない検査でいくら検討会を行ったとしても、後の祭りでしかありません。

日本で毎年、ガン検診を受けている人が、ガンと診断された場合には治療をしているのに、パタパタと死んでいるのだとすると、検診の受診率が低いからガンで死亡する人が減らない、というのはおかしな見解ではないかと思います。

▼胃ガンで急逝した胃ガン手術の大家の話

私の大学に、胃ガンの手術では日本の大家と呼べる人がいました。

日本のガン治療学会の会長をした翌年、胃ガンで急逝しました。

さすがに、弟子たちの中では誰一人として、告別式の時に恩師の病名を言う者はいませんでした。

これらの悲劇は40年前に、当時の厚生省がペプシノーゲンの血清検査を、保険を通さずに葬った悪事のあだ花だと言えるでしょう。

▼ガンのプロが体験した、画像診断ではガンが発見できなかった例

がんセンターの総長をされていた方の経験も重大です。

これは本人が実際に公言していることです。

45歳くらいの時、まだ東京大学の教授をしている時期の話です。

野球のボールが当たっただけだったのですが、膵臓に腫瘍ができたと誤診をされたことがありました。

また、57歳の時（総長時代）に、ご自分の胸部レントゲン写真を肺の専門家のところに持って行ったところ、患者さんの胸部レントゲン写真と誤解されて、「肺ガンです」

と誤診されたそうです。

実際には気管支肺炎でした。

通常のバリウムを飲む胃透視の検査で胃ガンを見落とされて、翌年に内視鏡で見つかり、胃ガンの手術をしているという経験もあります。

その経験から、30年以上の長い間、画像診断を受け続けてきましたが、ガンの発見には全く役立たなかった実際の体験例です。

がんセンターの総長でも、3回も誤診を経験して「ただ定期検診を受けるだけでなく、腫瘍マーカー検査をもっと研究して、診断法として役立ててほしい」というようなことを言っていました。

しかし、その10年後に、その方と対談をしたいと申し込みをしたところ、断わられてしまいました。

「小林先生とは対談をしたくない。我々がしてきたがんセンターの医療がひっくり返されてしまう」と、陰で述べておられていたようでした。多分、私が米国の一流誌に載せている論文を見ておられたのでしょう。

私が腫瘍マーカーの研究を世界的に最も行い、理解していることをご存知だったのです。

▼「原発巣」不明ガンも、ＴＭＣＡ検査なら明らかにできる

「原発巣」とは、最初にガンが発生した部位のことを指します。

例えば、卵巣ガンが発生した後に肺に転移した場合、その原発巣は卵巣ガンということになります。

原発巣がどこなのかを知ることは治療方針を決める上で大変重要です。

原発巣が小さいか、発見しにくい場所の場合には、特定できないこともあります。

しかし、ＴＭＣＡ検診であれば、原発巣の特定も容易にできます。

以下は、私のところに、実際に来た患者さんの事例です。

①有名病院で発見できなかった原発巣も発見（その1）

その患者さんは、6か月の間、ガン専門の病院に通ってさまざまな検査をしても、ガンの原発病巣が判らず、頭部の骨転移が診断されていました。

形態学的診断（視覚的にとらえられるものを対象にする診断）にこだわっているので、ガンの原発巣を発見できすることができず、多くのケースでこの方のようにガンの原発巣の発見に至らず放置されてしまっているのが現状です。

この患者さんは悩んだ末に、私の施設に来られて、ＴＭＣＡ検診を行いました。するど、2週間後には、この原発巣が「すい臓ガン」であり、その原因による頭部への骨転移であることが、あっさりと判明しました。

視覚的判断には限界があることが、よくわかります。

②有名病院で発見できなかった原発巣も発見（その2）

有名大学病院で、卵巣ガンの手術をした2年後に、脊髄への骨転移が見つかったという患者さんがいらっしゃいました。

しかしその大学病院では、どこが原発巣なのか不明ということで、半年間もさまざまな検査をされていました。

しかし、どこが原発巣かはっきりせず、業を煮やし患者さんが当院へと来院されました。

そして、TMCA検査を行ったところ、卵巣ガンの骨転移であることが簡単に判明したのです。

また、別の大学病院で教授が再発なしと判定したのですが、調子が悪いということで当院に来られて、腫瘍マーカーの誘発法という検査をしてリンパ節転移が判明しました。

卵巣ガンの手術をしているのに、その原発巣が卵巣ガンだと確信を持てない、というのが現在のガン治療現場の現実です。その確信をもつための検査法が大病院には全く存在していないのです。

ＴＭＣＡ検査の有効性がおわかりいただける実例かと思います。

③有名病院で発見できなかった原発巣も発見（その３）

ある女性の患者さんのお話です。

その方は、乳ガンの手術を都立病院で受けた後、１ヵ月毎に通院していました。

しかし、この女性は、２年後に大腿骨を骨折してしまうということが起こりました。

その原因をＴＭＣＡ検査で調べたところ、乳ガンの骨転移による骨折だったのです。

きちんと通院していたはずなのに、事前に骨転移していることがわからず、何の対策をすることもできなかったという実例です。

標準治療では、骨転移に効く治療はないのですが、温熱治療は極めてよく効きます。

④有名病院で発見できなかった原発巣も発見（その４）

川崎在住の50歳台の教員の事例です。

右足の股間が痛くなり、段々と歩きづらくなりました。

２年間に６箇所の病院を回りましたが、ＭＲＩやＣＴをやっても何か影があるというだけで、原因不明という診断でした。

思い余って２年目に私のＴＭＣＡ検査を受けたところ、実に小さな肺ガンが原因だということが判明しました。

それが右股関節に転移して、３センチメートルくらいの大きさになっていたのです。

バイオプシー（組織の一部を切除して、顕微鏡で病理組織学的に検査すること）をして確かめればわかっていたはずなのに、場所が悪かったためにそれを行おうという病院が、２年間現れなかったのです。

ＴＭＣＡ検査だからこそ、局所バイオプシーをしなくても診断できたのです。

現代医療が形態学に固執している限り、見つけられないことは数多くあります。

◆画像診断の限界に気づき、TMCA検査を標準にするべき

日本では、2人に1人がガンになる時代と言われています。

毎年ガン検診を受けている人が、ガンと診断されて治療をしているにもかかわらず、パタパタと死んでいるのだとすると、検診受診率が低いから、ガンで死亡する人が減らないというのは厚生省のおかしな見解ではないかと思います。

夕張市や長野県伊那市のように、「胃ガン検診をやめたら胃ガンが減少した」という報告をしているところもあります。

英国雑誌ランセットに30年前に報告された、「診断用X線による発ガンの国別報告」では、日本がダントツだという結果が載っています。

どうしてこのような問題を、国会でも厚労省でも議論をしないのでしょうか？
欧米の発ガン率の７～８倍も多いというのに……。

▼肺ガンの判断に、胸部レントゲンは正しいか？

胸部レントゲン写真だけで肺ガンが分かると、多くの国民が誤解しています。
30年前に、厚生省自身で調べて、胸部のレントゲンは４％程度の効果しかないという報告があったことを、国民に周知したのでしょうか？

全がんに対する診断用Ｘ線による発がん（「ランセット」から）

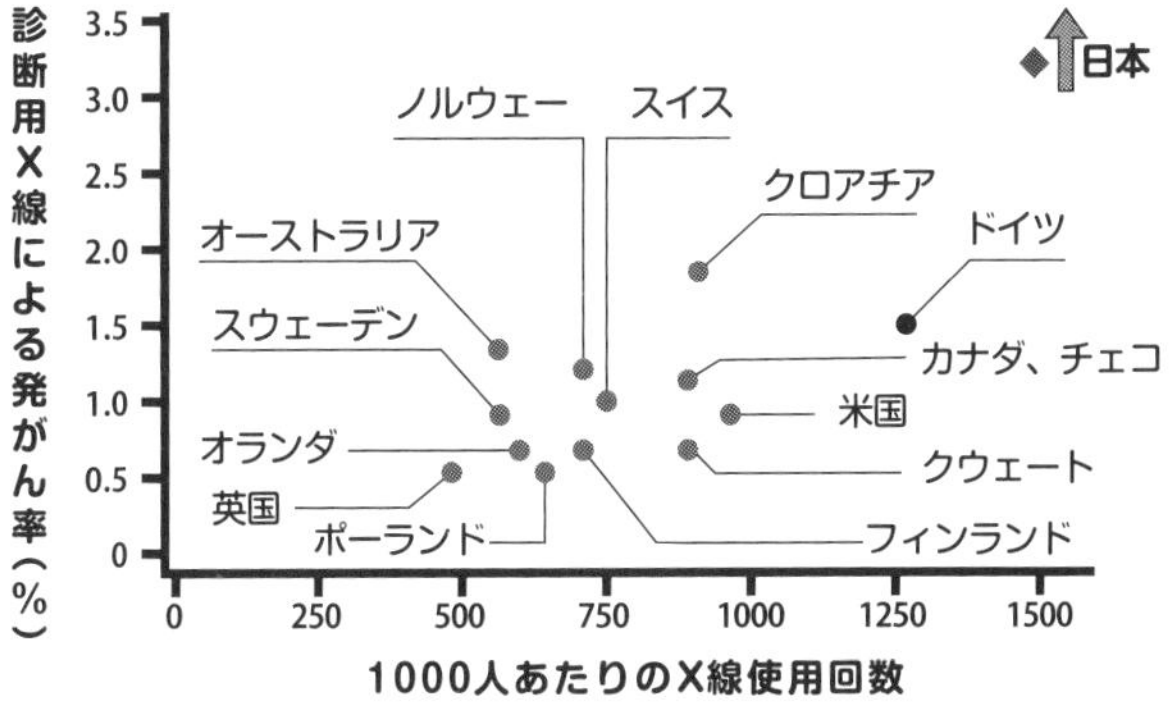

胸部レントゲン写真で肺ガンと診断されたときには、84％が手遅れだと発表もしています。

いまの厚労省もその結果を知りながら、その状況を放置したままなのです。

▼画像検診の被曝量を無視してはいけない

米国では胸部の専門家は「胸部のCTはすべきではない」と言い、日本の学者は「日本のCTは低線量だからいいのだ」と言って検診をやり続けた結果、日本は肺ガンが減少しないまま40年間、ガン死第1位を続けています。

札幌医大が提出した「肺ガンの検診にはCEAとフェリチンの組み合わせがいい」という報告も無視してきました。

胸部のCTのやりすぎが、肺ガンを増加させている可能性は、本当にないと言えるのでしょうか？

がんセンターの総長をされていた方の奥さんが、ＣＴを6年間に48回も実施をして、肺ガン、甲状腺ガン、肺小細胞ガンと、３回もガンにかかっています。

これは偶然でしょうか？　ＣＴ検査の影響ではないのでしょうか？

ＣＴの被曝量を考えれば、通常10回のＣＴをすれば、ガンにかかる率は２倍に増加します。

誤診の多い画像診断にいつまで固執するのでしょうか？

ガンが表面化するまでに、平均９年間の前ガン病変時代があります。

その時に手を打つべきでしょう。

わざわざ、ガンが１センチメートル以上の大きさに成長するまで待つような医療は卒業するべきです。

画像診断法への固執は、大手企業を守るだけの既成利権の保持であり、国民のためにはなりません。

１９８３年には衆議院の予算委員会で、１９９３年には参議院の予算委員会で腫瘍マーカー検診についての質問があったのですが。2回も厚生省はスルーしています。どれほど多くの国民をガンで死なせたら気が済むのでしょうか……?
もう、戦後1500万人もがん死させてしまいました。

TMCA検査を厚労省が受け入れて、ガンの第一次予防時代に入っていれば、いくら米国思想の食事の影響を受けていても、日本人の人口減少は生じなかったはずなのです。

米国のニクソン大統領が言ったように、「戦争よりもたくさんの人がガンで死ぬのはよくない」という考えから、米国はしっかりと「国家ガン法」を成立させたのです。

さらに、レーガン大統領の時代には、「日米協力してガン死を半分に減少させよう」という日米の共同声明を1983年に出しました。レーガン大統領は現職中に3回もガンを経験しているので、真面目にガン対策を実行しました。

しかし、中曽根首相は不真面目で、私の診療所で17名の中曽根派の国会議員などに説得しましたが、既得権を守るだけでガン死の増大に関心がなかったために、私との対談を断りました。

それから、ガン死は毎年増加して、1200万人も犠牲者が増加しています。

もしも対談をしてくれていたら……TMCA検診を採用してくれていれば、今頃、米国よりもがん死は激減していたでしょう。

「初期ガン」か「進行ガン」かが、手術前に確実にわかり、「手術などでの切り残しの判定」や、「ガンもどき」かも明確に区別することができるのです。

このTMCA検査はガンの発症を防ぎ、再発ガンで死ぬ人を減少するために、決定的な決め手となる検査法なのです。

今まで西洋医学で難しいと言われてきた「ガンの再発予防」もTMCA検査を使えば簡単です。

このためには、ガンは遺伝子異常で生じるという悪性腫瘍説から、ミトコンドリアの呼吸障害代謝病だという認識に変化しなければなりません。

第3章　ガンを減らす為に意識しなければならないこと

◆われわれは、自分からガンになる食生活習慣を行っている

米国では、「食事とガン」の問題について、5年ごとに国家として検討して、米国民がガンで死なないようにしよう、という「国家がん法」を設立させて、1971年にニクソン大統領が署名をしました。

ガンによる死亡者を減少させるには、何よりも食生活習慣が重要という認識で、米国の医学部200校には、すべて栄養学講座が設けられています。

そして、国民の食生活を改善させ、ガン死亡率を下げるための研究や対策に対して、国をあげて正式に費用が投じられています。

しかし、日本には公衆衛生大学院もなく、食事に対するプロジェクトを厚労省が実施したという話は、一度も聞いたことがありません。

気がついてください。

我々はガンになるのを待っている、と言っても過言ではないような食生活と生活習慣に染まっているのです。

一定の時間が経過すれば、どんな食べ物でも腐ってしまうのは当たり前です。その劣化を防ぐために、スーパーやコンビニで売っている商品の多くには**添加物**が含まれています。しかし、ごくわずかな量なら問題なしということで表記しなくてもいいと、厚生省は認めているのです。

ハムやソーセージに多く使われている「**亜硝酸塩**」は、ＷＨＯがはっきりと発ガン性を指摘していますし、防腐剤や着色料、乳化剤などにも注意が必要です。さらに、添加物の中には「**アミノ酸**」が加わっていますので、発ガン物質のできる可能性が非常に高いと言えるでしょう。

添加物の影響は、十分に調べられているとは言えません。

そして、電子レンジを使うことで、添加物などが発ガン物質へと変化してしまうことがあり、皆様はそれを口に運ぶことになります。
電子レンジで加熱されたものを食べる生物は人間だけです。そんな物が身体に良いはずがありません。

自然界に存在しない異物を人間は消化・吸収・排泄することができません。また、一度体に入ってしまうと、その異物は排出することが難しいので、脂肪細胞や臓器などにどんどん蓄積されてしまいます。

人工甘味料などをとり過ぎると身体に炎症反応が起こり、米国では脳腫瘍を作ると言われており、医療現場では問題になっています。

一回の量ではたいしたことがない少量の発ガン物質だとしても、多量（10％以上）の動物性タンパク質との組み合わせで強い発ガン性に繋がっていく可能性はあります。

農薬の影響についてもすでにいろいろな本で書かれています。
しかし、大手の食品会社の利害が絡んでいるので、マスコミでは正しいことが報道されません。

食べ物は、人の体に良いものを食する必要があります。美味しい物には必ず落とし穴があり、身体に良いものではありません。

糖質の多い食事は、内臓の処理能力を超えてしまい、糖尿病などの生活習慣病が増えています。

菓子などの加工された食物には添加物が大量に使用されており、身体に不必要な成分を蓄積させてしまいます。

冷えたドリンクの飲み過ぎやアルコールの大量摂取は、内臓の機能疾患を招く結果となってしまいます。

これだけ便利になった世の中で、なぜこんなに病気の人が増えているのかを冷静に考えてみましょう。便利の代償が、いま我々人間の身体を蝕んでいるのです。

自分の身体は天から授かったものですから、大切にしていきたいものです。

◆電子レンジの使用は最小限に

日本では、スーパー、コンビニ、家庭など、さまざまな場所で安易に、電子レンジが使われています。ロシアでは使用禁止となっています。

しかし、頭に入れておいてください。食品の中に含まれる**「アミノ基」**や**「カルボニル基」**に、200~300度の温度が加えられると発ガン物質ができやすいのです。

電子レンジは、確かに便利な家電製品です。

特に現代では便利だからといって、料理の下ごしらえから全て、電子レンジに頼ってしまうメニューも増えています。

しかし、よく考えてみてください。

電子レンジを多用することによって、お子様たちが小さな頃から、添加物などの入った食品を発ガン物質に変えて口にすることになる危険性が、高まってしまいます。手間がかかっても、電子レンジの使用は最小限にしましょう。

また、一定の時間が経てば、どんな食べ物でも腐ってしまうのは当たり前です。その劣化を防ぐために、スーパーやコンビニで売っている商品の多くには添加物が含まれています。

ハムやソーセージに多く使われている「亜硝酸塩」は、ＷＨＯがはっきりと発ガン性を指摘していますし、防腐剤や着色料、乳化剤などにも注意してください。

さらに、添加物の中にはアミノ酸が加わっていますので、発ガン物質のできる可能性が非常に高いと言えるでしょう。

添加物の影響は、十分に調べられているとは言えません。

添加物を電子レンジにかけると、そのままでは安全な物も発ガン物質を作った後に口へと運ぶことになります。

農薬の影響についてもすでにいろいろな本で書かれています。しかし、大手の食品会社の利害が絡んでいるので、マスコミでは正しいことが報道されません。

◆食生活を変えない限り、ガンは減らない

食べ物は、当然ですが人の身体にとって、良いものを食する必要があります。

「色」や「匂い」や「雰囲気」、あるいは「誘惑」で、食を選択すべきではありません。しかし、現代に生きる私たちの周囲は、その「色」や「匂い」や「雰囲気」などの「誘惑」がたっぷりの食事メニューで溢れています。

今一度、考えてみましょう。自分の身体は天から授かったものです。もっと大切に扱うべきです。

人間の身体は、「どんな食物に対しても万能という訳ではない」のです。

・牛乳製品を避ける

私たち日本人は、牛乳は身体に良いと洗脳されていると思います。
しかし牛乳は、米の１万倍も多く**「グルタミン」**を含んでいます。戦後、ガン死が４倍に増加したのは、乳製品を１００倍に増やしたからです。

カルシウムやタンパク質を豊富に含む食品ということで、牛乳に含まれる「**カゼイン**」の影響を忘れてはいけません。**カゼインはグルタミンを含んでいます**。

乳製品は、実は体内に炎症を起こすなど、負担がかかる食品として捕らえられています。アレルゲンとしても、認識されている食品です。
乳製品に含まれる「カゼイン」が原因です。

自然の食品のように見える牛乳ですが、殺菌され、脂肪分を調整され、合成ビタミン剤などを加えられているために、これも安全とは言えません。
「カゼイン」は、ガン発生の原因にもなります。

・食べるなら魚、鳥までにする

肉を食べたい場合は、鳥や魚なら負担が小さいのできるだけできる鳥や青魚の肉を選んで食べるようにしましょう。

ただし、魚も大きな魚は種類によってはグルタミンや水銀を多く含んでいたりするので、気をつけなくてはならない点はありますが……。

やはり自然由来のものにした方がいいということですね。

ソーセージやハムなどの加工肉も、できる限り避けた方がいいでしょう。

添加物やグルタミンが多く含まれていますので。

・パンやパスタなど、小麦を使った食品を避ける

グルテンフリーという言葉を聞いたことがありますか？

簡単に言えば、グルテンが含まれる食品を食生活に取り入れないことです。

小麦に含まれるグルテンという成分は、セリアック病というグルテン過敏症の発症だけでなく、身体にさまざまな負担をかけると言われています。依存性もあるようです。

現代の食事は小麦を取り入れているものが非常に多いのですが、小麦にはグルタミンが含まれていますので、避けていくことをおすすめします。

・白米を、玄米か胚芽米に替える

今の日本の食卓では当たり前になっている白米ですが、できるだけ栄養価の高い玄米に変える方がいいでしょう。

昔の日本人が健脚だったのは、玄米を食べていたからだという考えもあります。

・糖分の多いものを控える

血糖値は常に変動しますが、甘い物には中毒性があり、食べたい衝動が抑えられず、糖尿病を発症する人も増えています。

甘いジュースや菓子などを食べるのを控えて糖質をコントロールした食事を心がけましょう。

調理ソースなどにもグルタミンが含まれているものが多いので、成分表などを見ながら慎重に選んでいきましょう。

・お腹は冷やさないように、できるだけ冷たい物を避ける

お腹を冷やすことで免疫力が下がります。

冷たいものを食べることがどうして悪いのかがわかったのは、20年前のことです。

低体温麻酔の開発により、腸管の温度を０・５～１・０度下げるだけでもたくさんの腸内細菌が血液中に入り、白血球やリンパ球に侵入することが判明したのです。それで腸管を冷やすことが免疫力を下げることにつながるという医学的な意味がわかったのです。

冷たいものを飲んだり食べたりすれば、それが腸の中に入り、腸管免疫を傷害させて、腸内細菌がやすやすと腸管内に入り、白血球やリンパ球に侵入して防衛細胞の機能が弱化するということが判明しているのです。

日本のガン治療では免疫問題が軽視されていますが、冷たいもの中毒として、冷たいビール、よく冷えた缶ジュース、オーバーアイス（氷を入れて飲むこと）、アイスクリームなどを大量に摂取することは、自傷行為です。

・海藻や納豆などの、腸内細菌を増やす食べ物は積極的に取り入れる

腸内細菌を増やす食べ物はいくつかありますが、特に海藻や納豆は、腸内細菌を増やす働きを促し、身体の免疫力をアップします。

積極的に食事に取り入れていきましょう。

また、牛や豚を飼う環境のある田舎のようなところで、子どもを育てた方がいいようです。

・焦げた食べ物、電子レンジ、添加物はできるだけ避ける

焦げがガンの発症につながりやすいということは、もはや世界の常識です。

焼いた食べ物は焦げを作りやすいので、できるだけ焼いた食べ物を避けましょう。

電子レンジは前述した通り、食品添加物を発ガン物質に変えてしまう可能性があるので、使用をできる限り避けましょう。

スーパーやコンビニで販売している食品をよく見ると、添加物が大量に含まれていることがわかります。できるだけ自然由来のものだけを採るようにしましょう。

・アルコールや、熱過ぎる食べ物はできるだけ避ける

酒は百薬の長と言われ、毎日のように飲んでいる人も多いと思いますが、あまり大量に採ると、やはり身体には害にしかなりません。適量を楽しむ習慣を身につけましょう。

また、ビールや缶チューハイなどには糖質や人工甘味料を含むものも多いので、そのような酒類は避け、ウイスキーや焼酎などの、余分な成分を含まない蒸留酒を楽しむように変えていきましょう。

また冷たい物を摂取する習慣、冷えたビール、オーバーアイス、アイスクリームなど、愚かな習慣を繰り返しています。熱過ぎる食べ物も身体には負担になります。

火傷するほどに熱い物はそもそも食べられないとは思いますが、体温より熱いものは飲まないようにしましょう。**腸管には温度センサーがない**ので、異常を感知できないのです。

消化管の温度を0・5～1・0度でも下げれば、腸管内の1000兆個の細菌が血中に入り、白血球やリンパ球に侵入して種々の病気が発症する原因を作っているのです。自分の身体を大切にしていきましょう。

・薬物に依存しない

感染症にかかったときに、「炎症抑制剤」や「抗生物質」を安易に服用しないで発熱の意味を考える必要があります。

発熱をするということは、身体の免疫を上げる最大のチャンスなのです。

そんな時に、熱を抑える医薬品をむやみに使用するのは、免疫を鍛えない愚かな行為です。

バブルの前には、焼肉、焼き魚の消費が増え、味の素（グルタミン酸配合）も大量使われました。その味を覚えてしまった私たちは、なかなかその食のサイクルから脱することはできないでいます。

美味しいと感じたものを切り離すには強い精神力が必要ですが、食は本来、人体に良い物を食することなのです。

しかし、自分で情報を得て注意していかないと、現代のような情報過多の環境では健康を維持することは難しいと考えてください。食生活の問題を早期に対策するにはＴＭＣＡ検査は必須です。

そのような時代だからこそ、ガン死が激増しているのだということを、今こそきちんと考えてみてください。

1977年にアメリカで公表された、「マクガバン・レポート」の中でも、**ガンや心臓病、脳卒中などの生活習慣病は、誤った食生活がもたらした《食源病》であり、薬では治らない、**ということを言っています。

しかも、日本の医師のほとんどは、きちんと栄養学を学んでおらず、間違った知識で理解していると言ってもいいでしょう。

薬での治療を中心に考えすぎて、かえって病気の治癒を遅らせているのです。関係のない話ではありません。

ガンの原因は遺伝子ではないと本書で説明しました。

間違った食生活が、ガンの原因になっているのです。

自分の身体を病気にしているのは自分自身なのです。

時には、健康のために断食を行ってみるのもいいでしょう。

人間の体には、もともと自分の体内環境と整え、改善していく機能が備わっています。病気になったり、機能がうまく働かなくなった部分に関しては、修復されていくようになっています。

現代に生きる人たちは、いろいろな物を食べ過ぎているので、胃腸や身体を休めて機能回復をさせるという意味でも有効です。

◆未来のためにガンに対する認識を変えてなくてはならない

米国では、外科、放射線科、泌尿器科など、異なる診療科の医師が集まって検討会を行っているし、また、医師以外のカイロプラクティック、鍼灸、アロマテラピーなどの治療行為を行う者がそうした検討会に参加することもあり、誰もが対等に意見を出し合って対処方法を決定しています。

日本では、日本全体の医療が保険診療制度によって、治療方法が決められてしまっていますが、米国では各州で決められた基準があります。

例えばカリフォルニア州では、治療が不可能であっても、隣のアリゾナ州に行けば治療が可能になる場合もあります。

また、ある州では良い結果が出ることがあれば、専門性の異なる資格の医師の競争原理が働き、その新しい（良いと思われる）治療を他の州でも取り入れるという、合理的な開かれた医療が展開していける環境にあるのです。

日本では、医師以外が医療行為を行うことが許されない環境にあります。
また、患者への対処について、担当医が仮に外科医であれば、同じ外科医同士での検討会を行い、治療方針を決めます。
同じ視点の外科医同士では、治療方針も自ずと限定されてしまいます。

手術後の管理に関しては内科系にするべきで、なんのために外科医が長く抱え込んでしまうことになるのか、理解に苦しみます。ガンの治療の方法として、免疫検査や免疫治療を考えないのはどうしてか？
外科手術後の再発が50％に及んでいるのをどうして放置しているのか？

日本でも、もっと開かれた医療環境が増えると、現在治療が不可能だと思われている病気を治療する速度が上がっていくはずなのです。

常識をどうやって打ち破っていくのか……容易ではありません。

しかし、それができれば医療は大きく変革して行きます。医療関係者だけでなく、患者さんたちの意識も変わって行かないと新しい時代は来ないでしょう。

私は40年以上前から来る日も来る日も「大病院から見放された」進行ガン、末期ガンの重症患者さんの治療に当たって来ました。

米国では、「ガンの一次予防」が大きなうねりとなり、ガン患者の減少に繋げることができました。

しかし日本では、標準治療に関して、まだまだ定年退職後の教授や若い医者の間で、標準治療に疑問を持つ人たちが増加し始めた程度の状況です。

医学部の学生の85％が代替医療とか統合医療を勉強したいと希望しているのですが、医科大学の教育ではわずか5％足らずで行われているに過ぎません。

一方、米国では全ての医科大学で代替療法や統合医療の教育が始まっています。ワシントンの統合大学の学長、マジド・アリ先生は、「〝薬の奴隷〟となってきた医療とか、魂の抜けた〝科学の奴隷〟となってきた医療を早く脱出する必要がある」と主張しておられます。

そもそも先進国で病気やガン死が増え、国の経済が医療で破綻に瀕するなどということは、〝先進国〟の概念が間違っているのではないでしょうか？

もし、本当の先進国ならば、ガン死も病死もきちんと減少し、心の病にかかる人も減少しなくてはならないはずです。経済規模が大きいことと、その国本質的な進化の程度とは何の関係もありません。

医療関係者は、自ら病気にかからない、健康の基本となるような生き方をして、国民に応えるとともに、正しい医療をきちんと導入し、患者さんの問題に真正面から対応できるように努力をしていく必要があると心から思っています。

そして、私の開発した「ＴＭＣＡ検査」が、広く検査に取り入れられて、ガンをはじめ、さまざまな病気の予知予防の基準になることを、心から願っています。

Sugimoto K, Jo T, Tanimizu T, et al. The effect of the anti-tumor herb medicine" Sun Advance"
in mice. Proc Symposium WAKANYAKU.1982;15:224-227.

Tanimizu T, Sugitnoto K, Hayashi N, et al. New approach to Chinese herb medicine, inhibition by Chinese herb medicine" Sun Advance" of SV40 transfonnation in mouse cells. Proc Symposium WAKAN-YAKU. 1982;15:22S-233x.

Smith JE, Muto Y, Milch PO, et al. The effects of chylomicron Vitamin A on the Metabolism of Retinol binding protein in the Rat. J Biol Chem. 1973;248(5):1544-9.

Muto Y, Moriwaki H, Ninomiya M, et al. Prevention of second primary tumors by an acyclic retinoid. Polyprenoic acid in patients with hepatocellular carcinoma. N Engl J Med. 1996;334(24):1561-7.

Shimizu M et al. Suppression of recurrence of liver cancer by vitamin A. Cancer Science. 2009; 100:369.

Doldo E, Costanza G, Agostinelli S, et al. Vitamin A, cancer treatment and prevention: The new role of cellular retinol binding proteins. Biomed Res Int. 2015;2015:624-7.

Goodwin PJ, Ennis M, Pritchard Kl, Koo J, and Hood N. Prognostic effects of 25-hydroxyvitamin D levels in early breast cancer. J Clin Oncol. 2009;27(23):3575-63.

Ahonen MH. Tenkanen L, Teppo L, Hakama M, and Tuohimaa P. Prostate cancer risk and oredi [illegible] nostic serum 25-hvdro,cyvitamin D levels (Finland). Cancer Causes Control. 2000;11(9):847-52.

Kobayashi T, Jo T, Hayashida S. Enhancement of immune-surveillance in Cancer Patients. American J of Acup [illegible] cture. I 987; I 5:25-33.

Tsuneo Kobayashi. 2018. Biochemical Meaning of Defective Immune Surveillance in Cancer Patients. Arch Cancer Res. 6(2):8. 1-5. DOI:10.21767/2254- 6081.100174.

Tsuneo Kobayashi. 2019. Re-differentiation inducing treatment for cancer. J. of Cancer and Science and Therapy. 1,1-19.
httos://nessaoublishers.com/view-article.oho?id=357/Re-differentiation-inducina-treatment-for-cancer

Figure and Legends:
Figl: Primary cancer prevention project. Among 158 primary high-risk subjects, three interventional treatments were carried out with glutamine restriction diet and ketogenic diet and detoxifying therapy and prescription of herbal medicine(SA):1.Sg/ day).

REFERENCES（参考文献）

Pedersen PL. Tumor mitochondria and the Bioenergetics of Cancer Cells. Prog Exper Tumor Res. 1978;22:190-274.

Seyfried TN,Shelton LM. Cancer as a Metabolic Disease. Nutr Metab. 2010;7:7.

Baker SG, Kramer BS. Paradoxes in carcinogenesis: new opportunities for research directions. BMC Cancer Israel BA. Schaeffer WI. Cytoplasmic suppression of malignancy. In vitro Cell Dev Biol. 1987;23(9):627-632. 12. Israel BA, Schaeffer WI. Cytoplasmic mediation of malignancy. In Vitro Cell Dev Biol.1988;24(5):487490. 0 0 0)

Ristow M.Oxidative metabolism in cancer growth. Curf Opin Clin Nutr Metab Care. 2006;9(4):339-45

Seyfried T.N.. Arismendi-Morillo.G.Mukuherijee P. Chinopolos. On the origin of ATP synthesis in Cancer Science 23.Science 23:101761 November,1.21

Cuezva JM,Ortega AD, Willers I,et al Sanchez-Cenizo L.,Aldea M.Sanchez-Arago M. The tumor suppressor function of mitochondria: translation into the clinics. Biochim Biophys Acta.2009;1792(12):1145-1158.

Gray MW, Franz Lang B,Cedergren R, et al. Genome structure and gene content in protect mitochondrial DNAs. NuclAcid Res. 1981;26:865-879.

Gray MW. MjtochondriaJ evolution. Cold Spring Harb Perspect Biol. 2012;4(9):a011403.

Serasinghe MN, Wieder SY,Renault TT, et al.Mitochondrial Division is Requisite to RAS-induced Transfonnation and Targeted by Oncogenic MAPK Pathway Inhibitors. Mol Cell. 2015:57(3):521-536.

Seyfried TN,Flores RE, Poff AM, et al. D, Agostino D P. Cancer as a mitochondrial metabolic disease: implications for novel

Klement RJ. (2017). Beneficial ketogenic diets for cancer patient for a realist review with focus on evidence and confinnation. Med Oncol. 34.132

Kobayashi et al. Prospective Investigation of tumor markers and riskmetabolic assessment in early cancer screening. Cancer,1995 73,194 - 1953, 1994

Tsuneo Kobayashi. A Blood tumor mark.er combination assay produces high sensitivity and high specificity for cancer according to the natural history. Cancerd Meicine 2018; 7(3):549-556: doi:10.1002/cam.4.1275 http://medcraveonline.comelibray.wily.com/doi/10,1002/cam4.1275/full

Tsuneo Kobayashi. 2 0 1 8. . Thre Three step primary liver prevention program utilizing dynamic tumor marker combination assay in high-risk patients with chronic hepatitis. MOJ Curr Res & Rev.;1(3):114-117.DOI:10.15406/mojcrr.2018.01.00017 http://medcraveonline.com/JDHODTIJDHODT-09-00368.pdf

<著者略歴>

小林 常雄（こばやし・つねお）

1944年（昭和19年）鳥取県生まれ。

昭和44年鳥取大医学部卒業後、国立がんセンター内地留学、昭和47～49年京都大学・大学院、昭和54年東京大学大学院卒業。両大学院で生化学を中心としたがんの基礎研究をおこない東京大学で博士号取得。

昭和54年以後、一心総合病院副院長、京北病院院長IMHCクリニック院長を歴任。

平成27年12月より、美浜クリニック・国際がん予知予防センター長を務めた。

「人間はなぜ治るのか？　第2回癌からの生還」NHK（ETV）治療ルポが反響を呼ぶ。

▼癌専門誌『Cancer』誌において、腫瘍マーカー総合診断法による癌の危険度判定が広く評価され、第40代米国大統領夫人ナンシー・レーガン氏の主導により実証実験が行われた。
▼ＮＩＨ(アメリカ国立衛生研究所)と全米で最も優れた病院とされるメイヨークリニックにおいて試験を繰り返した結果、その精度が証明され、2016年9月、アメリカ総合医療学会で招待講演。「アチーブメント賞」受賞。

著書：
「がんの正体がわかった！「がん」は予知・予防できる」（創藝社）
「ついにわかった癌予防の実際」（主婦の友社）
「癌、温熱治療法の科学」（東洋医学舎）
「告知してこそがんは治る」（現代書林）
「ガン病棟7割生還」（トクマブックス 新書）
「ガンを消す自己治療力」（同文書院）
「健康情報革命 ボケ、ガン常識を覆せ！」（イーブック 新書）
「免疫力を高めるコツ50」 ほか多数

今こそ知るべき **ガンの真相と終焉**

ガンに罹る３つのリスク因子が判明

2021年10月8日　初版発行

著　者　小林常雄
発行人　山本洋之
発行所　合同会社 スマイルファクトリー
〒162－0023 東京都新宿区西新宿7-3-10　21山京ビル504号室
電話（050）3479－9112　FAX（03）3697－4002
発売所　株式会社 創藝社
〒162－0806 東京都新宿区榎町75番地　APビル5F
電話（050）3697－3347　FAX（03）4243－3760
印　刷　中央精版印刷株式会社

※落丁・乱丁はお取り替えいたします。
※定価はカバーに表示してあります。

ISBN978－4－88144－258－6　C0047